Hansjörg Falz, MERIAN-Chefredakteur

Liebe Leserin, lieber Leser,

wohin in 2021? Das ist die Frage, die uns leidenschaftliche Reisende nicht nur beschäftigt, sondern quält – und auf die wir von MERIAN angesichts der Pandemie und wiederkehrender Reisewarnungen leider keine endgültige Antwort wissen. Die ehrlichste Aussage lautet: Zu Hause ist der sicherste Hafen. Wenn Sie jedoch touristische Reisen im neuen Jahr planen, dann empfehle ich Ihnen, sich abseits der bekannten Pfade zu orientieren, Reiseländer zu entdecken, die in unserer Nähe liegen. Meiden Sie Massentourismus und Pauschaltouren. Bewegen Sie sich individuell oder nur in kleinster Gruppe. Wer kann, sollte die Nebensaison nutzen und bei der Wahl des Ziels und des Transportmittels an eine erdgebundene Lösung denken. Die Ostsee, die wir Ihnen aus all diesen Gründen in dieser Ausgabe näherbringen wollen, lässt sich problemlos mit dem Auto, Motorrad, Caravan, Fahrrad, ja selbst zu Fuß bereisen. Oder mit dem gecharterten Boot. Unser Autor Thorsten Kolle erinnert sich in seinem Essay an unvergesslich schöne Törns mit seinem Folkeboot zu den Inseln der Dänischen Südsee (Seite 28). Acht der neun Ostsee-Anrainerstaaten gehören zur EU, nur für Russland benötigen Sie ein Touristenvisum. Das ermöglicht spontane Reisen. Um Ihnen viele weitere Anregungen zu geben, wohin Sie in 2021 fahren könnten, verraten Ihnen meine MERIAN-Kollegen auf **merian.de** ihre persönlichen Lieblingsziele fürs kommende Jahr. Sie werden zugleich eine Website vorfinden, die in ihrer Erscheinung komplett überarbeitet worden ist. Auch digital wollen wir Ihnen künftig Land und Leute so ausführlich vorstellen, wie wir es im Heft seit mehr als sieben Jahrzehnten tun.
Also: **merian.de** anklicken! Danke!

Herzlich Ihr

Ostsee-Schönheiten hat sich MERIAN schon oft gewidmet, jetzt nehmen wir Sie zum ersten Mal mit auf die ganz große Runde

14

Weit blicken und weg-
träumen: Das geht gut auf
Inseln wie Bornholm

INHALT

110

Herausforderung Herrenhaus:
das Anwesen Vogelsang
in Mecklenburg-Vorpommern

8 **SKIZZEN**
Touren, Typen, Traditionen: Im Auto um die Ostsee,
der Flaschenpost-Bote und die Welt der Hanse

14 **INS BLAUE HINEIN**
Eine Bilderreise zu den schönsten
Inseln zwischen Flensburg und St. Petersburg

28 **HART AM WIND**
Sommer, Segelboot und die Dänische Südsee.
Für MERIAN-Autor Thorsten Kolle ein Traumprogramm

34 **KOPENHAGENS GLÜCKSREZEPT**
Platz für Radfahrer und Fußgänger,
gutes Design und eine Prise Spieltrieb: Warum
die Dänen hier so gerne leben

44 **48 STUNDEN IN STOCKHOLM**
Schwedens hoch spannende Hauptstadt –
vorgestellt von Thriller-Autorin Anna Tell

48 **DIE VASA**
Prestigeobjekt vom Meeresgrund: Das legendäre
Schiffswrack hat in Stockholm sein eigenes Museum

60 **48 STUNDEN IN HELSINKI**
Sauna, Kaffee, Kunst und Kultur: eine Tour
durch die Stadt mit Design-Expertin Anna Vihma

64 **GANZ OBEN**
Über den Dächern von St. Petersburg

72

34

Flanieren ganz oben: St. Petersburgs
Etagi-Loft-Project vereint Designerläden, Cafés und Dachterrasse

Musterbeispiel für gelungene
Stadtplanung über Generationen:
Kopenhagen mit dem Nyhavn

An ihrer breitesten
Stelle misst die Insel
Oosäär gerade mal
15 Meter, in der Länge
streckt sie sich über vier
Kilometer. Sie gehört
zu Estland und ihr Name
bedeutet »Teufelsinsel«

94 · 48 STUNDEN IN KLAIPEDA
Mit Cellist Mindaugas Bačkus durch Litauens
schmucke Hafenstadt und auf die Kurische Nehrung

98 · DER KURS VON KALININGRAD
Die russische Exklave sucht ihren eigenen Weg

104 · 48 STUNDEN IN DANZIG
Spitzenkoch Wojciech Korfel schätzt Danzigs
Weltläufigkeit – und die vielen Plätze zum Genießen

108 · MACHTZENTRUM MARIENBURG
Meisterwerk der Gotik und Heimstatt der Deutschritter

110 · NEUES LEBEN IN ALTEN MAUERN
Die schönsten Gutshäuser zwischen Lübeck
und Rügen. Allen voran: Herrenhaus Vogelsang

120 · DEUTSCHE OSTSEEKÜSTE
Lieblingsreviere vom Travemünder Priwall
bis zu den Welterbestädten Wismar und Stralsund

122 · KOLUMNE
Hans Zippert über das Meer der weißen Wunder

3 Editorial **6** Inside **11** Leserfoto

124 Karte **126** Gut zu wissen

129 Impressum **130** Vorschau

72 · 48 STUNDEN IN ST. PETERSBURG
Auf Streifzug an den Ufern der Newa. Mit der jungen
Kuratorin Anastasia Patsey durch die alte Zarenstadt

76 · MYTHOS BERNSTEINZIMMER
Die beeindruckende Kopie im Katharinenpalast

78 · TALLINN – DIE START-UP-STADT
In Sachen Digitalisierung hat Estland weltweit
die Nase vorn. Das prägt auch die Hauptstadt

88 · 48 STUNDEN IN RIGA
Sie liebt die Eleganz ihrer Heimatstadt: Lettlands
Ballettstar Alise Prudāne verrät ihre Lieblingsorte

92 · STUCK UND STIL
Schön gebaut und reich verziert: Um 1900
wurde Riga zu Europas Hochburg des Jugendstils

Monica Gumm mag »fremde Welten, Farben, Formen und Licht«. Für dieses Heft fotografierte die Hamburgerin, die zeitweise auch in Sevilla lebt, St. Petersburg aus der Vogelperspektive (S. 64).

FOTOSCHULE VOGELPERSPEKTIVE

Wie fotografiere ich eine Stadt von oben?

1. **Standort** Ich liebe es, auf Aussichtsplattformen, Kirchtürme oder Dachterrassen zu steigen. Es ist die beste Möglichkeit, um eine Stadt in ihrer Größe zu zeigen. Mir hilft die erhöhte Position auch, um mich zu orientieren und den Sonnenstand zu beobachten. Anhand einer App, z. B. Sun Surveyor Lite, ermittle ich dann, wann die besten Tageszeiten sind, um Sehenswürdigkeiten und Gebäude abzulichten.

2. **Licht** Ich fotografiere urbane Motive am liebsten bei Morgen- oder Abendlicht. Das hüllt die Fassaden in warme Farbtöne.

3. **Objektiv** Für Stadtübersichten benutze ich ein 16-35mm-Weitwinkelobjektiv. Interessanter wirkt das Motiv, wenn eine Mauer, Pflanzen oder Menschen im Vordergrund sind. Ein 70-200mm-Teleobjektiv habe ich auch dabei. Damit kann man einzelne Sehenswürdigkeiten schön in den Fokus rücken.

GUTE VERBINDUNG

»Taxofon« heißen die nostalgischen Telefonzellen, die es in ganz Russland noch gibt. Allein in und um Kaliningrad soll es noch rund 1000 solcher Apparate geben, sagt **Sönke Krüger**. Die russische Exklave an der Ostsee, die er ab S. 98 porträtiert, hat er mehrmals besucht – auch weil er eine besondere Beziehung zum einstigen Königsberg hat: Seine Mutter wurde dort geboren.

SEEMANNSLOHN

»Nach dem Festmachen in einem der kleinen Häfen der Dänischen Südsee belohne ich mich gern mit einem Glimmstengel und einem Drink«, sagt MERIAN-Autor **Thorsten Kolle.** Auf der Ostsee segelt er seit über 20 Jahren – sein Folkeboot »Kleine Brise« hat schon so einige Stürme mitgemacht. Einen Törn, den er nicht vergessen wird, beschreibt er ab S. 28.

GANZ OBEN

Für ihre Reportage über das Herrenhaus Vogelsang (S. 116) stieg MERIAN-Autorin **Andrea C. Bayer** dem Anwesen bei Güstrow auch aufs Dach – und ließ sich von Hausherrn **Robert Uhde** die beeindruckende Anlage samt Park und Nebengebäuden zeigen.

Naturvergnügen für jedermann

Sie lieben die unberührte Natur, den Geruch von Pilzen und weichem, moosigem Waldboden, der einem in die Nase steigt? Dann sollten Sie die Initiative „Schweden – ein Land wird Restaurant" kennenlernen.

In der Polarnacht tanzen die Nordlichter über den schwarzen Himmel, während im Sommer die Sonne selbst um Mitternacht noch scheint. Schweden ist das Sinnbild für eine unberührte Natur und ein Land, das es mit allen Sinnen zu entdecken gilt. Und damit auch der Geschmackssinn auf seine Kosten kommt, wurden im ganzen Land handgefertigte Esstische aufgestellt – aber eben nicht auf Campingplätzen, sondern mitten in der Natur. Dort finden die Besucher die nötige Kochausrüstung vor, um mit gesammelten Zutaten aus Wald und Wiesen ein Gourmetmenü mit bis zu neun Gängen zu zaubern. Über tausend Reservierungen von Schweden-Urlaubern aus aller Welt haben gezeigt, dass die einmalige Kombination aus Gourmetessen und wilder Natur den Nerv der Zeit trifft.

Bisher stehen den naturverliebten Feinschmeckern insgesamt 23 Tische von der südschwedischen Region Skåne bis nach Lappland im hohen Norden zur Wahl.

Dank des schwedischen „Jedermannsrechts" darf sich jeder frei in der Natur bewegen, nach Belieben angeln *(Angelkarte ist vor Ort erhältlich)* und sich an Pilzen, Beeren und Kräutern bedienen.

Super Foods für jedermann! Voraussetzung für diese Freiheit jedoch ist ein respektvoller Umgang mit der Natur.

Wer naturnah essen möchte, reserviert einen Tisch und streift dann mit Körbchen und Pilzbuch durch den Wald, um die nötigen Zutaten zu finden. Außerdem ist es möglich eine geführte Wanderung mit einem Naturexperten aus der Region dazu zu buchen. *Smaklig måltid!*

Info und Buchung:
visitsweden.de/einlandwirdrestaurant/

„Schweden – ein Land wird Restaurant" repräsentiert ganz Schweden mit seinen abwechslungsreichen Landschaften und seiner wunderschönen Natur. Die Initiative ist eine Einladung für jeden, den schwedischen „Close-to-nature"-Lebensstil zu erleben.

FOTOS: AUGUST DELLERT (6), MIRIAM PREIS (1)

Visit Sweden

European Agricultural Fund for Rural Development: Europe investing in rural areas

Bunte Abenteuer

…erleben nicht nur die Teilnehmer der Auto-Rallye **Baltic Sea Circle.** Wo man an der Ostsee Bernstein oder eine Flaschenpost findet und auf Wikinger oder Robben stößt

Rallye zum Polarlicht: unterwegs auf dem Baltic Sea Circle

Zehn Länder in 16 Tagen. Tausende Kilometer ohne Autobahnen, ohne GPS. In einem Wagen, der mindestens 20 Jahre alt ist. Warum? »Na, weil es ein Abenteuer ist. Und richtig Spaß bringt«, sagt Daniel Kaerger. Mit seinem Bruder Sebastian lädt er seit 2011 zweimal im Jahr zum Baltic Sea Circle ein – im Sommer und im Winter. Die Route für die mittlerweile 250 Teams ist festgelegt; es geht durch die neun Anrainerstaaten der Ostsee und weiter hoch bis Norwegen, beim Start in Hamburg gibt's ein Roadbook mit Tipps und Challenges für unterwegs. »Ein bisschen Wettbewerb ist dabei«, so Kaerger, »etwa um das kreativste Styling des Wagens. Vor allem aber setzen wir mit Partys oder mit Kontakten zu den Bewohnern der Länder auf einen guten Austausch untereinander.« Netter Nebeneffekt: Jedes Team muss neben der Startgebühr (940 Euro für zwei Teilnehmer) noch 750 Euro für Charity-Projekte sammeln: 2,2 Millionen Euro Spenden sind bereits zusammengekommen. Und weil die Ostsee-Rallye so gut ankam, gibt's längst auch andere Routen durch Europa. *www.superlative-adventure.com*

INTERVIEW

»Ostsee ist Postsee«

Oliver Lück hat etwa 500 Flaschenpostbriefe
aus der Ostsee gelesen – und rund zwei Dutzend
Absender und Empfänger für sein Buch »Flaschen-
postgeschichten« (Rowohlt, 10 €) besucht.

**MERIAN: Herr Lück, ist das nicht Kinderkram,
eine Flaschenpost ins Meer zu werfen?**
OLIVER LÜCK: Keineswegs, etwa 300 dieser
500 Briefe wurden von Erwachsenen geschrieben.
Das ist für viele ein symbolischer Akt: Etwas auf-
zuschreiben, in eine schöne Flasche zu tun und es
dann loszulassen. Ohne eine Antwort zu erwarten.
**Die kommt manchmal trotzdem. Sie haben
regelrechte Flaschenpostsammler getroffen…**
Für die ist so ein geschlossenes Randmeer das
ideale Revier: Ostsee ist Postsee. Was reinge-
worfen wird, das kommt auch wieder raus – wegen
der häufigen Westwinde vor allem im Baltikum!
Neueste Funde: www.lueckundlocke.de

THOMAS MANN

»Das Meer ist keine Landschaft, es ist das Erlebnis der Ewigkeit«

…sagte Thomas Mann, der als Kind an der
Ostsee »die unzweifelhaft glücklichsten Tage
meines Lebens« verbrachte.

Fundstücke am Strand

Bernstein
*Das Millionen Jahre alte
Harz ist vor allem im Herbst
und Winter zu finden. Von
Steinen ist es zu unterschei-
den, weil es auf kaltem
Salzwasser schwimmt.*

Hühnergott
*Feuersteine sind zwar hart,
splittern aber auch leicht:
etwa an fossilen Einlagerungen
im Innern. Meer und Sand
schmirgeln die Löcher weich.*

Donnerkeil
*Die versteinerten »Ruder« der
tintenfischartigen Urzeit-Tiere
sind zylindrisch und laufen
keilförmig zu. Stürme wühlen
sie im Meeresgrund frei und
treiben sie an die Strände.*

Tiere der Ostsee

Kegelrobbe
Etwa zwei Meter lang und bis zu 330 Kilo schwer: Deutschlands größtes Raubtier war in den 1980ern stark dezimiert. Nun leben wieder Zehntausende in der Ostsee.

Kranich
Ihr Tausende Kilometer langer Weg zwischen Nord und Süd führt die Zugvögel zweimal im Jahr über die Ostsee. Wichtiger Rastplatz: die Rügen-Bock-Kirr-Region.

Dorsch
Der schmackhafte Dorsch (alias Kabeljau) ist ein Liebling der Ostsee-Angler. Aber: Sein Bestand ist wegen Überfischung und der Erwärmung der Ostsee stark gefährdet.

LÜBECK

Ein Haus für die Hanse

Zusammenhalt macht stark: Weil dieses Motto aktueller ist denn je, zeigt das Europäische Hansemuseum in Lübeck nicht nur die Geschichte des grenzübergreifenden Verbundes – etwa im »Hansesaal« (Foto) mit Kronleuchtern und prächtigem Gestühl, auf dem man einst beim Hansetag debattierte. Auch Gegenwart und Zukunft des Ostseeraums werden hier erforscht und diskutiert. www.hansemuseum.eu

ROSKILDE

Das Erbe der Wikinger

Bei der dänischen Stadt Roskilde konnte man 1962 fünf Wikingerschiffe aus dem 11. Jahrhundert bergen: ein gut 15 Meter langes Hochseefrachtschiff (Foto), zwei Kriegs- und ein Handelsschiff sowie ein Fischerboot. Heute zeugen sie im eigens gebauten Wikingerschiffsmuseum davon, wie vielfältig die Wikinger einst die Ostsee nutzten.
www.vikingeskibsmuseet.dk

KLAUS-PETER SELZER

schoss das Leserfoto am West-
strand bei Born auf dem Darß.
Der 61-Jährige ahnte, dass es an
diesem Tag einen ungewöhnlich
schönen Sonnenuntergang
geben würde und ging rechtzei-
tig an das wilde Ufer der Ostsee.
»Die Lichtstimmung war faszi-
nierend«, erzählt der pensionierte
Polizeibeamte aus Dillingen an
der Saar. »Der Wald erschien so
rot, als ob er brennen würde.«
Selzer fotografierte verschiedene
Farbstimmungen und entschied
sich dann für ein Motiv, das
er per RAW-Konverter optimierte.
»Dazu habe ich das Bild noch
mit einem Filter versehen, der
den Gemäldeeffekt besonders
hervorhebt«, so Selzer. Was sein
Werk für ihn ausdrückt?
»Ruhe, Weite, Ursprünglichkeit –
eben die Kraft der Natur.«

»Der leuchtende Wald, der körnige Himmel:
Das Foto wirkt wie ein Gemälde«

DAS SAGT DIE JURY

Katharina Oesten, MERIAN-Fotoredakteurin: »Der Wald leuchtet orange, rostbraun und rot, die Wolken am körnigen Himmel sammeln sich wie auf einer Leinwand – durch die unwirkliche Lichtstimmung erscheint das Foto auf den ersten Blick eher wie ein Gemälde. Schon lange drücken Fotografen nicht mehr nur auf den Auslöser, sondern bearbeiten ihre Bilder. Aber selbst ein Filter will gekonnt eingesetzt werden. Und das ist in diesem Fall besonders gut gelungen.«

Ins Blaue

ESTLANDS PERLENKETTE

Mehr als 2000 Inseln säumen die estnische Küste,
nicht einmal 20 davon sind bewohnt. Die größte
von ihnen ist Saaremaa, die Insel hat eine ähnliche
Fläche wie Luxemburg, aber nur etwa 30 000 Einwohner. Nahezu menschenleer ist die Halbinsel
Sõrve mit Leuchtturm, die sich in einer schmalen
Nehrung im Meer verläuft. Der Legende nach war
es der freundliche Riese Suur Tõll, der an dieser
südlichsten Stelle den Teufel vom Land trieb, indem
er ihm Steinblöcke nachwarf. Die liegen nun
als Eilande in der Irbenstraße, die den Rigaischen
Meerbusen mit der Ostsee verbindet

hinein

Neun Länder säumen die Ostsee – ein gigantisches
Binnenmeer, das Kulturen verbindet. Doch nirgends ist
das Gefühl von Wind und Weite so
stark wie auf den Inseln: grandiose Natur
und ringsum nur das Meer

DIE SÜDLICHSTE
VON STOCKHOLMS INSELN

...heißt Öja, ihre einzige nennenswerte Siedlung
erstreckt sich rund um den Hafen von Landsort.
Es gibt einen Laden, ein Restaurant, ein paar
Unterkünfte und kaum Autos. Seit 1985 ist Öja
Naturschutzgebiet mit zwei Hauptattraktionen:
Vögel und Ruhe. Wobei: Still ist die Ostsee hier
nicht immer – ein Boot der Seenotrettung liegt stets
im Hafen bereit. Tiefer aber wird sie nirgends,
südlich von Öja sind es 459 Meter bis zum Grund

DAS LEUCHTEN VON SWINEMÜNDE

Selten hat man sie im Sonnenuntergang so für
sich: die Mühlenbake, Stawa Młyny, das gut zehn
Meter hohe Leuchtfeuer in Windmühlenoptik
auf der Westmole von Swinemünde. Seit 1877 weist
es den Schiffen von der Ostsee den Weg auf die
Swina, noch älter ist die gut einen Kilometer lange
Mole mit ihrem Pflaster aus Findlingen

BORNHOLMER SCHMUCKSTÜCK

Der wichtigste Bodenschatz auf Dänemarks östlichstem Vorposten ist der Granit, auch hier, ganz im Norden, wurde er bis 1970 abgebaut. Dann füllte sich die einstige Grube mit Wasser, und der Opalsee entstand – grünblau schimmernd wie der Edelstein, nach dem er benannt ist. Im Hintergrund thront Hammershus, eine der ältesten Burgruinen des Landes

GOTLANDS KALK-SKULPTUREN

Das schwedische Gotland war ab dem Mittelalter
bedeutend im Steinhandel. Der Gotland-Kalkstein,
auch »Hansekalk« genannt, schmückt bis heute
viele Bauwerke, darunter Schwedens Botschaft
in Berlin. Die eindrucksvollsten Werke aber schuf
die Natur selbst über Jahrhunderte aus diesem
Material: Kalksteinsäulen und -tore, Raukar genannt, die etwa hier am Strand von Digerhuvud
auf der Nachbarinsel Fårö in die Höhe ragen

HELSINKIS SCHÄRENGARTEN

Mehr als 300 Inseln gehören zur finnischen
Hauptstadt, diese beiden liegen vor dem Stadtteil
Kaivopuisto in der Einfahrt zum Südhafen.
Der Trip per Linienboot hierher dauert nur wenige
Minuten und lohnt sich gleich doppelt: wegen
der Ausblicke auf Schiffe, Jachthäfen und Schären.
Und weil man dazu sehr gut bekocht wird, gleich
zwei Villen aus der Zeit um 1900 beherbergen
heute Restaurants, »NJK« (erkennbar am grünen
Dach) und das »Saaristo« (rotes Dach)

DER KREIDESCHATZ VON RÜGEN

Sie sind das Wahrzeichen von Deutschlands
größter Insel: die Kreidefelsen an ihrer Ostküste,
im Nationalpark Jasmund. Dessen Buchenwälder
gehören zum Welterbe der UNESCO. Besonders
imposant wirken die weißen Wände, wenn man am
Saum der Ostsee steht, die sie geformt hat. Dabei
sollte man sie aber gut im Blick behalten, es
kommt immer wieder vor, dass Teile herabstürzen

DIE WEITE VON HERINGSDORF

Was die Berliner seit rund 150 Jahren ihre Bade-
wanne nennen, ist ein breiter, fast weißer Sandstrand, der die drei Usedomer »Kaiserbäder«
Ahlbeck, Bansin und Heringsdorf verbindet. Um
die vorletzte Jahrhundertwende traf sich hier
die Kultur-Elite, auch Kaiser Wilhelm flanierte auf
der Promenade. Alle drei Orte haben eine Seebrücke, diese in Heringsdorf wurde 1995 erbaut
und ist die längste in Deutschland: Auf 508 Metern
kann man hier über die Ostsee spazieren

DÄNEMARKS FESTUNG IM MEER

1684 wurde aus einer Insel nordöstlich von Bornholm eine Festung, benannt nach Christian V.: Christiansø. Dänemarks Seegefechte mit Schweden sind längst Geschichte, die Festung aber ist geblieben und heute von Bornholm aus in etwa einer Stunde erreichbar. Mit ihren noch kleineren Nachbarn bildet Christiansø den Archipel der »Erbseninseln«, wohl nach ihrer Größe so benannt: Alle zusammen kommen sie auf eine Fläche von nicht einmal einem halben Quadratkilometer

Hart am Wind von Insel zu Insel

»Kleine Brise« heißt das 60 Jahre alte Folkeboot von MERIAN-Autor **Thorsten Kolle.** Es bringt ihn auch bei stürmischem Wetter immer wieder in sein Lieblingsrevier: das Südfünische Inselmeer, besser bekannt als Dänische Südsee

W as ist das, fragst du dich, als du an diesem Morgen auf der kleinen dänischen Insel Lyø vom Hafen zum Købmandsladen hochgetapst kommst. Im Dorfteich dümpelt auf Entengrütze ein seltsames Gefährt. Zusammengeschnürte Fässer und Plastikkanister, obenauf eine Plattform aus Brettern, bestimmt vier mal vier Meter, dazu ein Behelfsmast Marke Besenstiel, ein paar Paddel, ein breites Holzruder. Ganz klar: ein Floß! Wenn auch eine abenteuerliche Konstruktion, aber gut.

Gestern Abend war das aber noch nicht da, erinnerst du dich. Da bist du schon mal hier hochgelaufen, nachdem du die »Kleine Brise«, dein 60 Jahre altes Holz-Folkeboot im Hafen von Lyø festgemacht hattest. Warst zuvor aus der Flensburger Förde kommend mit einem launigen West von vier bis fünf Windstärken über den Kleinen Belt gerauscht. Kurs Nord-Nord-Ost. Hinein ins Südfünische Inselmeer, wie das Gewässer auf den Seekarten heißt, obwohl es von allen – Seglern wie Einheimischen – kurz Dänische Südsee genannt wird.

Kaum also war die »Kleine Brise« vertäut, bist du auf leicht schwankenden Seebeinen vorfreudig als erstes zum *købmand* geeilt. Und wurdest nicht enttäuscht – ein eiskaltes Tuborg aus dem Kühlschrank greifen, aufhebeln mit dem Öffner, der seit Jahrzehnten draußen neben der Tür an einem rostigen Nagel hängt, und dann das Anlege-Bier genießen.

Um dich herum saßen in der Abendsonne eine Handvoll Einheimische im Halbkreis auf den Bänken. Es roch nach Heu und Lavendel. Und Bier. Herrlich. Wie letzten Sommer, dachtest du noch. Und wie im Sommer davor. Wie jeden Sommer.

Landwirte, Handwerker, Künstler leben hier. Rotgesichtig, entspannt, glücklich – so haben sie schon immer auf dich gewirkt, und du besegelst die Südsee nun schon seit rund 20 Jahren. Man nickte sich zu, *skål.* Du erinnerst dich an die meisten, einige vielleicht auch an dich. Die Zeit steht still. Manche Dinge ändern sich nie. Gut so.

Und nun aber das: Ein Floß im Dorfteich, das gab's noch nie hier! Breaking News, Sensation! Während du dich am Kopf kratzt und überlegst, wie dieses bestimmt ziemlich schwere Ungetüm seinen Weg in den Tümpel gefunden hat, passiert schon wieder Ungeheuerliches: Aus den schmucken Bauernhäusern, weiß gekalkt, viele reetgedeckt, mit zwei Meter hohen

Für Autor Thorsten Kolle liegt das Glück
des Segelns in der Reduktion. Ein Radio
und ein Hand-GPS: Mehr Elektrik gibt
es nicht an Bord der »Kleinen Brise«

Dein Boot zeigt dir die Schönheiten der Ostsee, wie du sie von Land aus nie zu sehen bekommst. Schweinswale tauchen neben deinem Fahrwasser auf

---

Bauernrosen in den zaunfreien Vorgärten, kommen nach und nach Menschen auf den kleinen Platz am Teich getröpfelt. Einige sind bewaffnet mit Instrumenten: Gitarre, Fiedel, Banjo, Saxofon sind zu sehen und bald zu hören. »Blue Moon.« Kinder in kurzen Hosen mit weizenblonden Haaren tanzen dazu.

»Blue Moon, you saw me standing alone.«

Eine ältere Frau mit langen weißen Haaren, aber einem Gesicht, so faltenfrei und glatt wie die Ostsee bei absoluter Flaute, drängt ihren Mann zum Tanz.

»Blue Moon, without a dream in my heart.«

Immer mehr Paare schwingen sich bald erstaunlich elegant zur sehnsüchtigen Melodie des Jazz-Evergreens um den Teich.

»Blue Moon, without a love of my own.«

Mamas balancieren Salatschüsseln heran und selbst gebackenes Brot, das duftet wie eine frisch gemähte Sommerwiese. Sie drapieren die Köstlichkeiten auf den Findlingen am Teichrand.

Was schon bis hierhin ziemlich gut war, wird nun perfekt: Ein Trecker mit Hänger zuckelt heran. Junge, kräftige Männer reichen lachend seine kostbare Ladung herunter: Tuborg-Kisten! Kisten über Kisten! Schnell findest du dich in der Kette wieder, die die Fracht entgegennimmt, bist Teil dieser fröhlichen Gesellschaft. Und nach zwei, drei, vier Bier und Aquavit singst und tanzt du wie ein Wikinger, eine hübsche Dänin im Arm, erstaunlicherweise brünett, nicht weizenblond.

»Blue Moon, now I'm no longer alone.«

Es ist einer dieser magischen Momente, da weißt du, du bist genau zur richtigen Zeit am richtigen Ort und würdest dich für kein Geld der Welt woanders hinbeamen lassen. Und irgendwann in dieser langen und nordisch hellen Sommernacht begreifst du, dass dieses wunderbare spontane Dorffest und das nicht enden wollende Freibier zusammenhängen mit dem geheimnisvollen Floß im Dorfteich.

Es ist Rasmus, ein lustiger Mittvierziger, der am Hafen eine Hot-Dog-Bude betreibt und mehrere Ferienwohnungen auf der Insel vermietet, der dir glucksend und kichernd eine Zeitung hinhält und in einem Mix aus *Dansk, Tysk* und *English* die Zusammenhänge erklärt. Denn auf so einer kleinen Insel hängt natürlich immer alles irgendwie zusammen.

Die Zeitung ist die aktuelle Ausgabe der *Fyn Amts Avis,* eine mit Sitz in Svendborg erscheinende Tageszeitung für die Region Fünen und umliegende Inseln. Die Aufmacherstory berichtet von der Fahrt zweier Reporter der Zeitung, die mit ihrem selbst gebauten Floß rund um Fünen segeln und paddeln und täglich von ihren Erlebnissen berichten.

Ihr Törn fand auf Lyø ein jähes Ende. Als die Reporter mit der Fähre in die Redaktion fuhren und das Floß im Hafen zurückließen, kaperten die Insulaner unter Führung des »Mafia-Paten Rasmus« (so steht es scherzhaft in der *Avis*), das Floß und transportierten es nächtens mit einem Radlader zum Dorfteich.

Die Reporter staunten nicht schlecht, als sie bei ihrer Rückkehr kein Floß, aber dafür ein Schreiben des Kommandos *Gratis Øl til Lyø* (Freibier für Lyø) vorfanden, dessen Name Programm ist. Für die Herausgabe des Floßes verlangten die durstigen Insulaner, dass der Zeitungsverlag eine erhebliche Menge Freibier als Lösegeld herausrücken sollte. Und so geschah es, der Verlag machte mit, und Lyø erlebte eine rauschhafte Nacht, das Reporter-Floß wurde anderntags wieder zum Hafen transportiert, und die Floß-Tour konnte fortgesetzt werden.

Südsee-Geschichten wie diese gibt es viele – und die augenzwinkernde Herzlichkeit der Insulaner ist ein Grund, warum du und viele andere Segler Jahr für Jahr wiederkommen.

Am nächsten Morgen machst du die Leinen los – bevor die »Kleine Brise« auch im Dorfteich landet. Außerdem brauchst du Seeluft, um den Kater loszuwerden. Und du gehst nicht ohne Beute: Smilla ist an Bord, eine bezaubernde Dänin, mit der du offenbar gestern mindestens getanzt hast und die sich nun verliebt hat – in dein Boot. Die »Kleine Brise« ist aber auch wirklich eine Schönheit. Smilla will nach Avernakø, neben Lyø und Drejø mittleres Kleinod des beliebten Insel-Dreigestirns der Dänischen Südsee. Und Avernakø ist auch dein nächstes Ziel.

Hand gegen Koje, ein Win-win-Deal. Denn schnell ist klar: Smilla segelt ganz prima und hat ein Gespür für den Wind. Du kannst ihr also getrost Pinne und Großschot überlassen, bindest dir eine Leine um den Leib und – gehst über Bord.

Es gibt nichts Besseres gegen einen Kater, als sich bei moderatem Wind von seinem Boot durchs erfrischende Ostsee-Wasser ziehen zu lassen.

Die Dänische Südsee ist ein Revier der kurzen Schläge, jedenfalls für den, der an keiner der schmucken Inseln achtlos vorbeisegelt, sondern jeden Hafen anläuft oder auch mal über Nacht vor Anker geht.

Die Marina im Nordwesten von Avernakø ist übervoll, die Boote liegen bereits im »Päckchen« (so nennt man es, wenn ein Boot längsseits an einem

anderen festmacht), weil alle Boxen belegt sind. Also segelst du weiter mit Smilla an der Pinne, ihr umrundet das langgestreckte Eiland, das eigentlich mal zwei Inseln (Avernak und Korshavn) waren, die seit 1937 aber durch einen 700 Meter langen Damm miteinander verbunden sind.

Das Glück an Bord eines Segelboots, besonders auf einem alten Holzboot, liegt in der Reduktion. Keine Elektrik, nur ein batteriebetriebenes Transistorradio und ein Hand-GPS. Die »Kleine Brise« zeigt dir die Schönheiten der Ostsee, wie man sie von Land aus nie zu sehen bekommt: Schweinswale tauchen manchmal nur ein paar Meter neben deinem Fahrwasser auf. Ihre ruhige, leicht schnaufende Atmung ist neben Wind und Welle das einzige Geräusch, das zu hören ist. Ihr geht vor Anker in Revtrille, einer Bucht, in der das Wasser türkis ist wie in der Karibik, der Sand am Strand so fein und weiß, wie jungfräulicher Schnee.

Die Gewässer und Buchten in der Dänischen Südsee sind oft flach, und das ist gut so. Denn die meisten der größeren Schiffe haben zu viel Tiefgang, um nahe unter Land gehen zu können. Das Folkeboot kann. Nur einen Meter dreißig misst die tiefste Stelle am Kiel, das ermöglicht Erkundungsfahrten an Orte, die so aussehen, als würden sie gerade von dir entdeckt. Und du bleibst selbst in der Hochsaison meist allein.

In der Traumbucht vor Avernakø bringst du den Anker von Hand aus. Du grinst Smilla an, sie grinst zurück. Dann wird vom Boot aus ins Wasser gejumpt – Smilla macht sogar beim Arschbomben-Wettbewerb eine gute Figur. Glück verbreitet sich in Wellen. Später machst du dein kleines Schlauchboot Dinghy klar, und ihr paddelt an Land. Mit Treibholz wird ein Lagerfeuer entfacht, und du grillst Fisch, den du bei einem Zwischenstopp im kleinen Hafen von Korshavn von einem dänischen Kutter gekauft hast. Die Tage im nordischen Sommer sind lang, erst gegen Mitternacht wird es dämmerig. Du spielst auf der Gitarre den Song, der dir nicht mehr aus dem Ohr geht:

»Blue Moon, now I'm no longer
alone
Without a dream in my heart
Without a love of my own.«
In der Nacht dreht der Wind, und der Anker hält nicht mehr. Die »Kleine Brise« schabt auf sandigen Grund. Kein Drama, du musst ins hüfttiefe Wasser und das Boot vom Sand ziehen, aber Smilla hat das wohl einen Schrecken eingejagt. Am nächsten Morgen ist sie jedenfalls von Bord. Ein Zettel liegt in der Kajüte: *mange tak for sejlads og fisken* – vielen Dank fürs Segeln und den Fisch.

Irgendwie wundert dich das nicht – das Folkeboot ist deine Geliebte. Und die reagiert mitunter eifersüchtig. Nix mehr »Blue Moon, I'm no longer alone«. Egal, du pfeifst jetzt »La Paloma – Seemanns Braut ist die See, und nur ihr kann er treu sein« und gehst unter Segeln Anker auf, Kurs Ost, Richtung Drejø.

Dort im Gammelhavn, dem alten Hafen, wirst du Trost finden, das weißt du. Den Hafen anzulaufen, ist ein kleines Abenteuer für sich. Eine sehr schmale Fahrrinne, die oft versandet, führt durch ein weitgestrecktes Flach, und zwar selbst für die »Kleine Brise« zu flach. Hier nicht aufzulaufen ist Glückssache. Aber dennoch – oder vielleicht gerade weil es so aufregend ist – steuert jeder Skipper von flach gehenden Booten diesen winzigen Hafen an. Kaum mehr als zehn Boote fasst er.

Und du findest diesmal problemlos den richtigen Kurs, machst die »Kleine Brise« fest, springst auf den Steg und stehst vor dem urigsten Seglerhaus der Dänischen Südsee. Eine Bretterbude aus verwittertem Holz, die Tür ist immer offen. Im gemütlichen Innern eine Werkstatt, in der jeder Segler alles zum freien Gebrauch findet, was er braucht, um kleinere oder auch größere Reparaturen an seinem Boot durchzuführen.

Und in einer Ecke steht er, Skippers Trost, der wahrscheinlich riesigste Kühlschrank Dänemarks. Sesam öffne dich, die gewaltige Tür schwenkt auf, und du siehst mit großer Befriedigung, dass die Dinge sich auch auf Drejø nicht ändern: Skippers Trost ist bis unters Dach gefüllt mit eiskaltem Tuborg. Sieben Kronen, absoluter Tiefpreis im Königreich, die auf Treu und Glauben in die Kasse zu schnippen sind, und dann trinkst du in der Abendsonne dein Anlege-Bier und weißt, du bist wieder zur richtigen Zeit am richtigen Ort. Wie letzten Sommer. Wie den Sommer davor. Wie jeden Sommer. In der Südsee, der dänischen. ∎

LIEBLINGSBUCHTEN

Revtrille Avernakø
Traumhafte Bucht mit schönem Sandstrand, direkt vor dem Mini-Privathafen der Reederfamilie Mærsk. Bei allen westlichen und südlichen Winden liegt man hier sicher.

Drejø
Die meisten Boote fahren hier vorbei, weil sie unterwegs zu den größeren Häfen Svendborg, Ærøskøbing oder Marstal sind. Dabei ist die große Bucht am Südende von Drejø wunderschön: türkisfarbenes Wasser und meist reichlich Platz.

Nakskov-Fjord, Lolland
Ein Naturparadies, das aber selten angelaufen wird, da die Ansteuerung nicht ganz einfach ist: Die vielen Flachs schrecken manchen Skipper ab. Wer sich traut und nicht auf Grund läuft, erlebt Natur, die so unberührt wirkt, als sei noch nie jemand hier gewesen. Und: Das Boot ist hier bei allen Winden geschützt.

DEINEN ERSTEN
LAPHROAIG
VERGISST DU NIE

LAPHROAIG **OPINIONS WELCOME™**

DAS REZEPT ZUM GLÜCK

... hat **Kopenhagen** für sich gefunden.
Die wichtigsten Zutaten: viel Platz für Radfahrer
und Fußgänger, großartiges Design, neue
Ideen in der Architektur und dazu eine große
Prise Spieltrieb. Velkommen!

TEXT **INKA SCHMELING**

Freie Fahrt für Radfahrer auf der
neuen Inderhavnsbroen – und das mit
Blick auf den pittoresken Nyhavn:
Abendstimmung in Kopenhagen

1 | Runde Sache: Olafur Eliasson entwarf die Fahrradbrücke Cirkelbroen

2 | Sprung ins saubere Wasser: Hafenbad in Islands Brygge

3 | Verdammt gut: die Jægersborggade mit ihren vielen Cafés und Läden im In-Viertel Nørrebro

4 | Stadtplaner Jan Gehl hat Kopenhagen gestaltet

J

»Jede Stadt bekommt eben das Leben, zu dem sie einlädt.« So antwortet Jan Gehl, der wohl berühmteste Stadtplaner der Welt, auf die Frage, die ihm seit Jahrzehnten gestellt wird: Was ist das Geheimnis von Kopenhagen? Wie schafft es Dänemarks Hauptstadt, immer wieder die Listen der lebenswertesten Städte und der beliebtesten Reisedestinationen anzuführen; von Einheimischen wie Besuchern derart geliebt zu werden? Jan Gehl antwortet so, dass man ihm anhört, wie zufrieden er selbst mit dem Leben ist, zu dem seine Stadt einlädt: »Kopenhagen hat als erste Stadt untersucht, wie die Menschen in ihr eigentlich leben, wie ihr Alltag aussieht und welche Bedürfnisse sie haben. Diese Ergebnisse wurden konsequent in der Stadtplanung umgesetzt.« Man könnte auch sagen: Kopenhagen hat als erste Stadt das Rezept zum Glück gefunden.

Nach diesem Rezept denken sich Jan Gehl und sein Team immer neue Ideen aus, um Kopenhagen noch einladender zu machen – und längst auch New York, London, Moskau, Buenos Aires. Die Zutaten sind immer und überall die gleichen: Radwege, Fußgängerzonen, Parks, öffentliche Plätze, kurz: Raum für die Menschen. Vor allem ein Gedanke steckt dahinter, Gehl nennt ihn »das menschliche Maß«. Städte, sagt er, sollten Orte für Menschen sein. Und die wollten doch überall auf der Welt das Gleiche: »Der Homo sapiens möchte andere Menschen beobachten. Egal, ob er eine Straße entlanggeht oder auf einer Bank in der Sonne sitzt.« Dieses Bedürfnis hätten Architekten vor der Moderne fast immer beherzigt; selten habe man Plätze so groß oder Straßen so breit angelegt, dass Passanten nicht mehr das Gesicht der anderen Menschen erkennen. »Dieses menschliche Maß schätzen wir bis heute.«

Vielen Städten war es abhandengekommen in den 1950ern, 60ern, 70ern, als der Mensch Platz abtreten musste an: das Auto. Doch während andernorts in vielspurige Straßen investiert wurde, überzeugte Jan Gehl seine Heimatstadt vom Gegenteil: Ab 1962 wurde auf seine Initiative hin die Strøget als wichtigste Einkaufsstraße zur Fußgängerzone; heute ist es die längste Europas. So behielt Kopenhagen sein historisches Zentrum Indre By, und das ist bis heute geprägt von dem, was hier unter »Baukönig« Christian IV. im 17. Jahrhundert entstand: die beliebte kleine Hafenmeile Nyhavn, die barocke Vor-Frelsers-Kirche, die älteste Börse Europas, Schloss Rosenborg oder das Observatorium Rundetårn; außerdem die künstlich angelegte Insel Christanshavn, die seitdem das Zentrum nach Osten ergänzt. Vor allem im 19. Jahrhundert wuchs Kopenhagen auch gen Westen, die heutigen In-Viertel Nørrebro, Frederiksberg und Vesterbro stammen aus dieser Zeit.

»Eine Stadt, die ursprünglich für Menschen gebaut wurde, kann recht leicht wieder zu einer Stadt für Menschen gemacht

»

Kopenhagen hat als erste Stadt untersucht, wie die Menschen leben, wie ihr Alltag aussieht und welche Bedürfnisse sie haben

«

4

werden«, beschreibt Jan Gehl die solide Basis, auf der Kopenhagens Stadtentwicklung steht. Zusätzlich aber füllt die Stadt sehr bewusst ihre historischen Straßen und Plätze mit Leben und nicht bloß mit Verkehr. Rund 1000 Kilometer Radwege hat die Stadt inzwischen angelegt, hat neue Brücken nur für Radfahrer und Fußgänger gebaut – etwa die Inderhavnsbroen am Nyhavn, die von Olafur Eliasson designte Cirkelbroen in Christianshavn, die Cykelslangen in Vesterbro oder jüngst die Lille Langebro beim neuen Kulturkomplex BLOX. Selbst die Mülleimer an den Radwegen sind schräg gebaut, damit niemand von seinem Fahrrad absteigen muss. Und ja, Kopenhagen bekommt tatsächlich das, wozu es einlädt: 49 Prozent der Alltagswege werden hier mit dem Fahrrad zurückgelegt, jeden Tag sind das 1,44 Millionen Kilometer. Kürzlich gaben bei einer Umfrage ganze 97 Prozent der Kopenhagener an, glücklich zu sein mit den Radfahr-Bedingungen in ihrer Stadt.

M

Meik Wiking wundert das Glück in dieser Stadt kaum. Als Leiter des hiesigen Instituts für Glücksforschung findet auch er die Zutaten dafür in der Infrastruktur, die seine Stadt Bewohnern wie Besuchern bereitstellt: »Kopenhagen ist eine teure Stadt, eigentlich. Aber das, was wirklich glücklich macht, das gibt es hier für jeden umsonst.« Ein Picknick im schönen Park Kongens Have etwa oder an den Ostseestränden von Amager, Svanemølle, Charlottenlund und Klampenborg, wo Designer-Legende Arne Jacobsen in den 1930ern das Strandbad Bellavista gestaltet hat. Ein Bummel durch die Seitenstraßen der Haupteinkaufsmeile Strøget: Pilestræde und Gråbrødretorv, Studiestræde und Sankt Peders Stræde. Oder ein Ausflug zu einem der drei Hafenbäder, die sich die Stadt in Islands Brygge, am Fisketorvet und am Sluseholmen von Stararchitekten bauen ließ; der Eintritt ist kostenfrei. Und selbst bei der Oper, mitten im Stadtzentrum, wurden Leitern am Ufer installiert, damit jeder nach Lust und Laune ins Hafenbecken springen kann.

Viel Geld hat die Stadt investiert, um die Wasserqualität im Hafen zu verbessern. Wie sie sich überhaupt dem Thema Umweltschutz mit seltenem Eifer verschrieben hat: Bis 2025 will Kopenhagen die erste CO_2-neutrale Hauptstadt der Welt sein; 100 000 Bäume wurden dafür gepflanzt, die Straßenlaternen mit LEDs ausgerüstet, öffentliche Gebäude energetisch saniert. Müllwagen fahren mit Biogas, Büros werden mit Meerwasser gekühlt. Die neue Müllverbrennungsanlage Copenhill verbrennt nicht nur 70 Tonnen Müll in der Stunde, sondern versorgt aus der dabei gewonnenen Energie auch 50 000 Haushalte mit Strom und 120 000 mit Fernwärme. Und wo man schon dabei war, einen solchen Zweckbau neu zu denken, legte man auf dem schrägen Dach kurzerhand noch eine künstliche Skipiste für den Winter an. Andernorts wurden die Dächer von Parkhäusern oder Schulen in Sportanlagen umgewandelt. Vielleicht

ist es genau das, was die verschiedenen Entscheider und Macher dieser Stadt eint wie nichts anderes: Die Ziele in Sachen Lebensqualität und Nachhaltigkeit sind ehrgeizig; ebenso der Anspruch der weltweit renommierten Designer oder der Architekten, der Hoteliers, der Barkeeper, der Köche. Dazu aber kommt eine kräftige Prise Spieltrieb, die aus all den Bauplänen und Konzepten überhaupt erst diese lebensfrohe Stadt formt.

Christian Puglisi ist eine der Hauptfiguren der Neuen Nordischen Küche, die eben diese Herangehensweise auf ihre Gerichte übertragen. Gelernt hat der Sohn eines Sizilianers, der in Kopenhagen aufwuchs, im weltberühmten »Noma«, ganze vier Mal zum besten Restaurant der Welt gekürt; seit 2018 ist es in Christianshavn zu finden. Dessen Gründer hatten mit einem New Nordic Kitchen Manifesto den Trend angestoßen, die hiesige Küche über die freiwillige Selbstbegrenzung auf saisonale und regionale Zutaten weiterzuentwickeln. Bei Christian Puglisi bedeutet das: Auch wenn er in seinen zwischenzeitlich vier Restaurants vor allem italienische Gerichte serviert, stammen die Zutaten von der eigenen, nur 50 Kilometer entfernten Farm of Ideas – das Gemüse, der handgemachte Mozzarella, der selbst geräucherte Speck. Und obwohl er Ende 2020 bekannt gab, zwei seiner Restaurants zu schließen, in Teilen wegen der Corona-Krise, will er die Ideen des Manifestos mit den verbliebenen Häusern »Bæst« und »Mirabelle« im Viertel Nørrebro weiter vorantreiben. »Die Prinzipien Regionalität und Saisonalität auf Skandinavien anzuwenden«, sagt Puglisi, »das war bahnbrechend. Dadurch hat der Norden eine eigene kulinarische Identität entwickelt.«

Längst befeuern sich in Kopenhagen Kulinarik und Stadtplanung, Design und Umweltschutz, Kunst und Architektur gegenseitig und machen die Stadt zu einem Gesamtkunstwerk. »Als ich ein Kind war, fuhr man nur zum Arbeiten oder zum Einkaufen in die Stadt«, erinnert sich Stadtplaner Jan Gehl. »Heute kommen die Menschen wegen der Stadt selbst her. Dieses neue Stadtleben setzt sich überall dort durch, wo wir den Menschen wieder Platz geben – dann verweilen sie gerne.«

Der Ofelia Plads wurde 2017 neu angelegt als vierte Bühne des Königlichen Theaters, zu dem neben dem benachbarten Schauspielhaus auch die Oper und die Gamle Scene zählen. Mit 13 000 Quadratmetern ist der Platz die größte dieser Bühnen und die innovativste: Klassische Musik wird hier ebenso dargeboten wie Jazz oder Pop, es gibt Kunst, Schauspiel, Streetfood, eine Bar, sogar Mini-Saunen und Hot Tubs. Und natürlich, wie könnte es in Kopenhagen anders sein, steht der Platz allen offen – inklusive der explizit zum Küssen gedachten Stufen, der Kyssetrappen. Es ist ein Ort der Begegnung geworden und ein Beweis für Jan Gehls Überzeugung: »Es gibt kaum etwas, das eine Gesellschaft so nachhaltig stützt wie belebte Plätze.« ■

» Das New Nordic Kitchen Manifesto war bahnbrechend. Dadurch hat der Norden eine eigene Identität entwickelt «

2

3

1| Starkoch Christian Puglisi baut auf seiner Farm of Ideas viele Zutaten für seine Restaurants selbst an 2| Legendärer Stil: Das Restaurant »Noma« setzt auf radikal regionale Zutaten und auf Designmöbel von Brdr. Krüger 3| Selbst Müllverbrennungsanlagen sind hier Architektur-Perlen: Copenhill hat eine Skipiste

Einen unvergleichlich guten Geschmack

... attestiert MERIAN-Redakteurin **Inka Schmeling** Kopenhagen. Egal, ob bei Küche, Museen, Möbeln oder Architektur: Dänemarks Hauptstadt hat Stil

Für Kunst-Begeisterte

Dieses Haus belegt auf meiner Liste sehenswerter Museen seit Jahren Platz eins: das Louisiana in Humlebæk, etwa 30 Minuten mit der Bahn vom Hauptbahnhof gen Norden. Hier, mit großem Park direkt am Øresund, werden beeindruckend verschiedene Ausstellungen zu moderner und zeitgenössischer Kunst gezeigt – die auch mal Bereiche wie Architektur umfassen. Museums-Klassiker im Zentrum von Kopenhagen sind einmal das Statens Museum for Kunst mit seiner großen Sammlung dänischer und europäischer Kunst der letzten 700 Jahre. Und die Ny Carlsberg Glyptotek, bekannt für ihre große Skulpturensammlung, die vielen Gemälde aus dem 19. Jahrhundert von dänischen wie französischen Malern – und für ihren Palmengarten samt Café, in dem man bei jedem Wetter eine fast schon tropische Pause einlegen kann.

Louisiana Humlebæk, Gammel Strandvej 13 www.louisiana.dk

Statens Museum for Kunst Kopenhagen Sølvgade 48-50, www.smk.dk

Ny Carlsberg Glyptotek Kopenhagen Dantes Plads 7, www.glyptoteket.dk

Für Experimentierfreudige

Im Science Center Experimentarium, nördlich vom Zentrum im Viertel Hellerup, können sich Kinder wie Erwachsene in eine riesige Seifenblase einschließen, Mega-Hefezellen kultivieren oder mal eben kurz im virtuellen Hafen Schiffe steuern und Container verladen. Planen Sie viel Zeit ein: Auf den 11 500 Quadratmetern verteilen sich 16 Ausstellungen.

Hellerup, Tuborg Havnevej 7 www.experimentarium.dk

Louisiana: In der weißen Villa wird seit 1958 moderne und zeitgenössische Kunst gezeigt – und ebenso im großen Park mit Blick auf den Øresund

GUT GEPIMPT!

Smørrebrød

Frokost nennen die Dänen ihr Mittagessen: meist eine Scheibe Roggenbrot mit viel Belag. Meister des Smørrebrød ist Adam Aamann:

Aamanns Etablissement Øster Farimagsgade 12

Aamanns 1921 Niels Hemmingsens Gade 19-21 www.aamanns.dk

Grütze

Das Lokal »Grød« rehabilitiert den Ruf von Porridge – zu probieren an mittlerweile fünf Orten in der Stadt, etwa im beliebten Markt Torvehallerne im Zentrum.

Frederiksborggade 21 www.groed.com

Hotdogs

... für Gourmets gibt's am Foodtruck »Johns Hotdog Deli«. Als Topping stellt Inhaber John Michael Jensen etwa Artischocken oder karamellisierte Zwiebeln zur Wahl.

Bernstorffsgade

1 | Schöne Sicht: Arne Jacobsens Strandbad Bellavista 2 | Best of: Das Designmuseum zeigt Klassiker und neue Entwürfe 3 | »Form« als Bestseller: Stuhl von Normann Copenhagen 4 | Mustergültig: Keramik-Designerin Malene Helbak

Arne Jacobsen und seine Erben: die Stars des dänischen Designs

Es ist diese Unaufgeregtheit, gepaart mit einer Prise Spielerei, die dänisches Design seit Jahrzehnten zum weltweiten Dauerbrenner macht. Was in den 1950er und 1960er Jahren die »Dänische Moderne« schuf, ist bis heute gefragt: die Stühle von Hans J. Wegner und die Sofas von Poul Kjærholm, die Sessel und Leuchten von Arne Jacobsen. Perfekt in Szene gesetzt ist all das im Dänischen Designmuseum zu sehen, Jacobsens Bauten prägen noch immer die Stadt: Mit dem Radisson Blue Royal (Zimmer 606 ist bis heute unverändert!) schuf er das erste Designhotel der Welt, hinterließ mit einer Tankstelle am Kystvejen 24 und der Bellavista-Siedlung Architektur-Klassiker. Für neue Ikonen sorgt aber auch Kopenhagens jüngste Designer-Generation: Etwa das Unternehmen Normann Copenhagen, das die legendäre Krenit-Schüssel neu aufgelegt hat und

mit Möbeln wie dem Stuhl »Form« eigene Entwürfe auf den Markt bringt. Gerade auch in der Keramik setzen Designer – wie etwa Malene Helbak mit ihren ruhigen und gleichzeitig frischen Mustern – neue Zeichen. Einige dieser Werke haben es bereits ins Designmuseum geschafft, noch mehr sind in den Boutiquen im Zentrum zu finden – und zu kaufen. Groß ist die Auswahl im Illums Bolighus oder schräg gegenüber im HAY House.

Dänisches Designmuseum Bredgade 68
www.designmuseum.dek

Radisson Blue Royal Hammerichsgade 1
www.radissonhotels.com

Normann Copenhagen Østerbrogade 70
www.normann-copenhagen.com

Malene Helbak
www.helbak.com

Illums Bolighus Amagertorv 10
www.illumsbolighus.com

HAY House Østergade 61
www.hay.dk

Schlafen im kleinsten Hotel der Welt

Das »Hotel Central« in Vesterbro besteht aus nur einem Zimmer, und das ähnelt mit der liebevoll getischlerten Innenausstattung an die gemütliche Kajüte eines Segelschiffs. Hygge pur – samt Café im Erdgeschoss!

Tullinsgade 1
www.centralhotelogcafe.dk

48 STUNDEN IN

Stockholm

Schwedens Hauptstadt hat eine einzigartige Insellage – und zeigt sich gleichzeitig weltoffen. Thriller-Autorin Anna Tell nimmt Sie mit auf einen Streifzug in ihre liebsten Cafés, Restaurants und Museen

Anna Tell, Jahrgang 1975, ist Kriminalkommissarin – und Autorin der Thriller um Unterhändlerin Amanda Lund (»Vier Tage in Kabul« und »Nächte des Zorns«, Rowohlt). Wie ihre Protagonistin erlebte Tell Einsätze in Afghanistan und im Kosovo. Heute arbeitet sie, nun Mutter von zwei Töchtern, vor allem am Schreibtisch in Stockholm

W ie viele Polizisten bin ich ein ziemlicher Kaffee-Junkie, und daher ist ein Start in ein Stockholm-Wochenende meiner Meinung nach nur nach einem ordentlichen Kaffee möglich. Zum Glück gibt es da viel Auswahl, zum Beispiel das Les Petits Boudins auf Kungsholmen. Auf der Insel habe ich 20 Jahre lang gewohnt, unter anderem in einer Wohnung, die in einer früheren Schokoladenfabrik liegt. Die Fenster stammten noch aus dieser Zeit, die alten Rohre liefen unter drei Meter hohen Decken entlang. Und direkt nebenan liegt eben dieses Café, in dem man ein tolles Frühstück in Bio-Qualität bekommt, auf Wunsch auch vegan. Man merkt wirklich, dass die Leute dort ihren Job gerne machen. Ich sitze aber auch oft mit Laptop und Cappuccino im Il Caffè, im Südwesten von Kungsholmen, vor allem, wenn ich neue Charaktere für einen Roman entwickle – es liegt direkt neben dem Polizeihauptquartier. Als Vollzeitberufstätige unternehme ich am Wochenende viel mit meinen Töchtern. Oft gehen wir ins Kinderkultur-

zentrum Junibacken auf der Insel Djurgården. Dort setzt man sich in einen kleinen Zug und wird durch eine Kulissenlandschaft zu Geschichten von Astrid Lindgren geführt – übrigens auch auf Deutsch. Den schwedischen Audioguide hat noch Astrid Lindgren selbst gesprochen. Der dazugehörige Kinderbuchladen ist vermutlich der größte in ganz Schweden, die Bücher bekommt man in zig Sprachen. Seit ein paar Jahren kann man auch die Wohnung im Stadtteil Vasastaden besichtigen, in der Astrid Lindgren von 1941 bis zu ihrem Tod 2002 gelebt hat. Dort steht zum Beispiel ihr Schreibtisch, an dem sie »Pippi Langstrumpf« und viele andere Klassiker geschrieben hat. Sie sehen: Ich bin ein großer Fan.

Aber zurück nach Djurgården: Die Insel ist mit ihren weitläufigen Parks ideal für Reisen mit Kindern – und sie vereint gleich mehrere Sehenswürdigkeiten: Neben dem Freilichtmuseum Skansen, in dem es um schwedische Traditionen und altes Handwerk geht, und dem Vergnügungspark Gröna Lund liegt

![Aerial view of Stockholm with the Nordic Museum on Djurgården]

1

1| Stockholm erstreckt sich über 14 Inseln. Auf Djurgården liegt etwa das Nordische Museum (vorne) 2| Internationale Küche mit schwedischer Lässigkeit: leckere Pasta im »L'Avventura« 3| ...und die besten Falafel der Stadt im Restaurant »Falafelbaren«

3

2

Ich bin gerne auf dem Wasser und entdecke so die Stadt

hier auch das Vasa-Museum (s. S. 48). Für ein Mittagessen ist ein Besuch im Botanischen Garten bei Rosendals Trädgård klasse: Man kann an Tischen im Garten sitzen oder im Café. Wenn ich Besuch habe, fahren wir fast immer auf die Insel Djurgården.

Abends würde ich mit meinem Besuch in der Knut Bar essen gehen, vor allem mit Freunden aus dem Ausland: Die Küche ist auf Gerichte aus Nordschweden spezialisiert, es gibt Elchfleisch, Fisch und zum Dessert ein Sorbet aus Molte- und Preiselbeeren. Meine Ermittlerin Amanda Lund trinkt hier gelegentlich einen traditionellen Schnaps an der Bar, wenn sie nicht gerade im Nahen Osten oder auf dem Balkan unterwegs ist wie ich früher. Noch ein sehr besonderes Restaurant – vor allem, wenn einem nach Trüffel-Papardelle mit Parmesan und gutem Wein ist – ist das L'Avventura. Das Gebäude war früher ein Kino, deshalb sind die Decken sechs Meter hoch und die Wände mit wunderschönen Ornamenten verziert.

Es gibt viele Dinge in Stockholm, die ich während meiner Auslandseinsätze vermisst habe. Gar nicht so sehr einen speziellen Ort – eher Dinge, die man hier machen kann und die in Kriegsgebieten einfach nicht möglich sind. Einfach mal sonntagmorgens eine Runde joggen gehen zum Beispiel. Ich bin wahnsinnig gern draußen, und Stockholm mit seinen vielen Parks, Stränden, Outdoor-Sportstätten und seiner frischen, sauberen Luft ist wie dafür gemacht. Nördlich von Vasastaden liegt der Hagapark, wo man joggen, schwimmen und Tennis spielen kann. Hier steht auch das Schloss, in dem Kronprinzessin Victoria mit ihrer Familie wohnt. Der umliegende Park ist trotzdem für alle zugänglich. Manchmal fahre ich auch Roller-Ski, Rad – und ich bin gern auf dem Wasser unterwegs. Das ist gerade in Stockholm eine tolle Art, die Stadt zu entdecken. Von dort aus hat man noch einmal einen anderen Blick auf Stockholm. Ein guter Kajakverleih ist Paddla i Pampas am Jachthafen Pampas Marina.

Aber auch vom Montelinsvägen auf der Insel Södermalm hat man eine grandiose Aussicht: auf die Altstadt Gamla Stan und die City. In der Nähe liegt das Restaurant Falafelbaren, hier bekommt man die besten Falafeln der Stadt – wer mag, lässt sie sich frisch gebacken auf die Hand geben und macht dann ein Picknick am Montelinsvägen. Der Inhaber, Nidal Kersh, hat übrigens das erste schwedische Buch über die Küche Jerusalems und des Nahen Ostens geschrieben – inzwischen wurde es auch ins Deutsche übersetzt, es heißt »Falafel, Kebab, Shakshuka: Essen wie in Jerusalem«, und ich kann es wirklich empfehlen.

Das mag ich an Stockholm: dass es so international ist. Man merkt das besonders am Restaurant Mälarpaviljongen auf einem idyllischen Kungsholmer Pier, wo es abends gute Musik gibt. In Jahren, in denen nicht eine Pandemie den Tourismus aushebelt, treffen sich hier Gäste aus der ganzen Welt. Auch in der LGTB-Szene ist es beliebt. In meinem ersten Thriller »Vier Tage in Kabul« findet eine Joggerin direkt am Pavillon eine Leiche. Vermutlich hatte der Mann, bevor er erstochen wurde, dieses leckere Roggenbrot mit Krabben und Rum-Zitronen-Dressing gegessen. Nicht der schlechteste Ort für eine letzte Mahlzeit.

Protokoll: Silvia Tyburski

KUNST ERLEBEN

Klassiker ist das schwedische **Nationalmuseum:** Gemälde, Skulpturen, Grafiken, Kunsthandwerk und Design vom Mittelalter bis heute sind zu sehen, darunter Werke von Rembrandt, Gauguin oder Carl Larsson. Das **Moderna Museet** dagegen widmet sich der modernen und zeitgenössischen Kunst. Ein Highlight ist der »A Room of One's Own«, wo Werke schwedischer Künstlerinnen mit feministischem Ansatz gezeigt werden.
Nationalmuseum Södra Blasieholmshamnen 2 www.nationalmuseum.se
Moderna Museet Exercisplan 4 www.modernamuseet.se

ADRESSEN

Les Petits Boudins Fridhemsgatan 60 www.facebook.com/stenungs bagerietlespetitsboudins
Il Caffè Bergsgatan 17 www.ilcaffe.se
Junibacken Galärvarvsvägen 8 www.junibacken.se
Wohnung von Astrid Lindgren Dalagatan 46 www.astridlindgrenshem.se
Skansen Djurgårdsslätten 49-51, www.skansen.se
Gröna Lund Lilla Allmänna Gränd 9, www.gronalund.com
Rosendals Trädgård Rosendalsvägen 38 www.rosendalstradgard.se
Knut Bar Regeringsgatan 77 www.restaurangknut.se
L'Avventura Sveavägen 77 www.lavventura.se
Hagapark www.visithaga.se
Paddla i Pampas Karlbergs strand 6 www.paddlaipampas.se
Falafelbaren Hornsgatan 39B www.falafelbaren.se
Mälarpaviljongen Norr Mälarstrand 64 www.malarpaviljongen.se

1| Ostsee-Glück: Mehr als 24 000 Inseln zählt Stockholms Schärengarten, besonders leicht geht's von der Stadt auf die Fjäderholmarna 2| Das Kinderkultur-zentrum Junibacken zeigt Szenen aus Astrid Lindgrens Werken 3| Fisch auf schwedische Art in der »Knut Bar«

Flaggschiff der schwedischen
Marine: Gerade mal 1300 Meter
weit segelte die »Vasa«, dann
sank sie – und wurde, neben der
»Titanic«, zum berühmtesten Wrack
der Welt. Geborgen und restauriert
steht sie heute im Vasa-Museum

STOCKHOLM

DIE VASA: SCHWEDENS STOLZ VOM MEERESGRUND

Stockholm, 10. August 1628, später Nachmittag. Tausende drängen sich an der Kaimauer im Hafen, jubelnde Zeugen eines einmaligen Spektakels: Die »Vasa« bricht zu ihrer Jungfernfahrt auf, der Stolz von König Gustav II. Adolf, Schwedens größtes Kriegsschiff, gebaut aus dem Holz von 1000 Eichen. Allein seine Ausmaße! 69 Meter lang, vom Kiel bis zur Spitze des Großmasts misst es rund 53 Meter. Ein Prachtschiff, verziert mit 500 Skulpturen, das der sanfte Wind nun aufs Meer hinausschiebt. Doch was ist das? Keine 20 Minuten ist das Schiff unterwegs, als es eine leichte Bö erfasst. Die »Vasa« schwankt heftig, segelt aber weiter. Dann drückt sie eine zweite Bö auf die Backbordseite. Wasser dringt unaufhaltsam durch die offenen Geschützpforten, wenig später sinkt die »Vasa« auf den Meeresgrund, reißt etwa 50 Menschen in den Tod. Schwedens König zürnt: »Unverstand und Unachtsamkeit« hätten sein Prestigeobjekt vernichtet. Dabei ist es der König selbst, der seinen Schiffsbauern immer wieder ins Handwerk pfuscht: Es ist seine Idee, ein zweites Deck zu bauen, um Platz für insgesamt 64 Kanonen zu schaffen. Allerdings gerät dadurch die Stabilität der »Vasa« aus dem Ruder. Sie ist knapp 12 Meter breit, hat einen Tiefgang von gerade einmal 4,80 Meter, und in ihrem Rumpf lagern bloß rund 130 Tonnen Ballast: Das Gewicht unter der Wasserlinie und das der Masse oben im Schiff machen aus der »Vasa« eine Schaukel im Meer. Ein leichter Windstoß genügt – und sie kentert. Erst 1957, knapp 330 Jahre nach ihrem Untergang, beginnt die Bergung der »Vasa«. Unter ihren Rumpf werden Stahlseile gezogen, die mit Schwimmpontons verbunden sind. Nach und nach wird das kostbare Wrack angehoben und in seichtes Wasser transportiert. Taucher bergen die Skulpturen, die Kanonen, sogar ein Stück Butter. Heute steht der einstige Stolz der schwedischen Marine, sorgfältig restauriert, in Stockholms Vasa-Museum. Galärvarvsvägen 14, www.vasamuseet.se

HEISS AUF EIS

Stadtbummel in Stockholm, Husky-Tour in Lappland und eine Nacht im Eishotel: Als Gewinner unseres Wettbewerbs »Leserfoto des Jahres«, den MERIAN gemeinsam mit CEWE veranstaltet, war Philipp von Haugwitz auf **Abenteuertour in Schweden.** Mit dabei: Freundin Birte Schulz und MERIAN-Fotografin Isabela Pacini. Das Fazit: »eine Reise, die wir nie vergessen werden!«

TEXT **SEBASTIAN HOLDER**

GLÜCKLICHE GEWINNER
Philipp von Haugwitz und
Freundin Birte Schulz freuen sich
auf die Nacht im »Icehotel« von
Jukkasjärvi. Aber keine Sorge:
Sie mussten nicht die ganze Zeit
hüpfen, um warm zu bleiben.
Rentierfelle und Thermoschlaf-
säcke waren natürlich vorhanden

HUNDERUNDE
Eine Husky-Tour geht auch
ohne Schnee. Dann ziehen
die Hunde keinen Schlitten,
sondern einfach ein Quad

Stockholm bereitete Philipp von Haugwitz einen gebührenden Empfang. Die nordische Schönheit hatte sich herbstlich rausgeputzt und begrüßte unseren Gewinner und seine Freundin Birte Schulz mit einem strahlenden Sonnenlächeln. Die beiden stürzten sich sofort in das Straßengewirr der Altstadt Gamla Stan mit ihren bunten Häusern, der Deutschen Kirche und dem königlichen Schloss. Da ahnte der 30-Jährige bereits, was sich später bestätigen sollte: Dies würde eine unvergessliche Reise werden.

Wonach es Wochen zuvor gar nicht ausgesehen hatte. Denn die Corona-Pandemie hatte die Tourplanungen heftig durcheinandergewirbelt. Mehrfach musste die Reise, die von Haugwitz als Sieger unseres Wettbewerbs »Leserfoto des Jahres« gewonnen hatte, umgeplant werden. Doch am Ende hatte man ein verheißungsvolles Programm zusammengestellt – mit Start in Stockholm. Drei Tage hatten die zwei Zeit, Skandinaviens größte Metropole zu durchstreifen. »Mich haben diese Kontraste begeistert«, schwärmt Philipp von Haugwitz. »Da das alte Schweden in Gamla Stan und dort das neue Stockholm, diese gewagte moderne Architektur, die Tech-Metropole, die Mode.«

Dann hieß es aber schon Abschied nehmen von Schwedens Hauptstadt.

BLICKFANG
Philipp von Haugwitz (hier im Kanu)
ging fürs Foto ganz nah ran an Husky-Hündin
Penny. Sie hat zwei verschiedenfarbige
Augen – und einen Blick, der im Gedächtnis
bleibt. Wer von Haugwitz' Fotos auf
Instagram sehen möchte: philipp_vince

Gut 1200 Kilometer weiter nördlich wartete ein Abenteuer der besonderen Art auf die beiden Wahl-Berliner. In Kiruna, der nördlichsten Stadt des Landes, empfing sie MERIAN-Fotografin Isabela Pacini, die den beiden eine Woche mit Tipps und Anregungen zur Seite stehen sollte, und brachte sie zum »Icehotel« in dem Örtchen Jukkasjärvi. Das ist nicht irgendein Eishotel, von denen es inzwischen viele gibt in Skandinaviens Norden. Dies ist das Original. 1991 wurde es erstmals für Übernachtungsgäste aus Eis und Schnee aus dem Fluss Torneälv gehauen. Seitdem wird es jedes Jahr im November neu errichtet – jedes Mal ein kleines bisschen anders und

ein kleines bisschen größer. Die Nachfrage ist riesig. 14 000 Übernachtungen werden inzwischen jährlich gebucht. Sogar ein Zeremoniensaal für rund 40 Personen ist angeschlossen. Dort können etwa verheiratete Paare ihr Ehegelübde erneuern.

Inzwischen kann man sogar das ganze Jahr im Eis wohnen. Die Macher haben zusätzlich ein »Icehotel 365« in eine Steinhülle gebaut. Die Temperatur wird konstant auf minus fünf Grad gehalten, so kann man jetzt auch den Sommer in der Kälte verbringen. Philipp und Birte waren begeistert. »Alles dort war aus Eis. Die Stühle, die Bar, die Betten und sogar die Gläser. Es war zwar wirklich kalt,

GANZ COOL
Die Gäste des »Icehotels«
versuchen sich bei
einem Workshop an einer
besonderen Kunst: aus
Eis Skulpturen zu machen

aber auch ein fantastisches Erlebnis«, sagt Birte. Am nächsten Tag zogen sie dennoch in eines der komfortablen Chalets, die auch zum Hotel gehören.

Am Abend ging es dann mit MERIAN-Fotografin Isabela und fünf anderen Hotelgästen auf einen Ausflug mit kleiner Nachtwanderung. Ihr Guide Filip führte sie den Fluss entlang durch einen Wald, bis sie schließlich eine Lichtung erreichten. Dort wartete bereits Filips Kompagnon Henrik, der über einer offenen Feuerstelle Lappländischen Rentier-Eintopf zubereitete. »Das war die pure Romantik«, erzählt Philipp. »Das knisternde Feuer, das köstliche Essen und die anregenden Gespräche – was braucht man mehr?«

Am nächsten Tag, so hoffte Philipp, werde er endlich Polarlichter vor seine Kamera bekommen, ein lang gehegter Wunsch. Seit seinem zehnten Lebensjahr fotografiert er. Damals bekam er seine erste – einfache – Digitalkamera geschenkt. Seitdem hat ihn die Fotografie nicht mehr losgelassen. Er lernte dazu, wurde immer besser. Die Kameras auch. Inzwischen fotografiert er mit einer Sony Alpha 7 Vollformat. Er hat sie ständig dabei. In seiner Wohnung hängen die Zeugnisse seiner Leidenschaft, von seinen Streifzügen durch Berlin, aber vor allem von seinen Reisen. In Thailand schoss er auch das Bild, mit dem er den Leserfoto-Wettbewerb von MERIAN und CEWE gewann und

NAH DRAN
Fotografin Isabela
Pacini im »Icehotel«

WEIT WEG
Ein Holzhaus in
der Ortschaft
Jukkasjärvi, die
200 Kilometer
nördlich vom
Polarkreis liegt

FOTOSCHULE

Bei Kälte: Genügend Akkus einstecken!

Was muss ich beachten, wenn es
sehr kalt ist? Drei Profi-Tipps von
MERIAN-Fotografin Isabela Pacini:

**1. Immer mehrere geladene
Akkus dabei haben!** Denn in der
Kälte verlieren sie schneller ihre
Ladung. Die Akkus bewahrt man am
besten in der warmen Jackentasche
auf, so nah wie möglich am Körper.
Hilfreich: Wärmepads für die Taschen.

**2. Gegen das Beschlagen
vorbereitet sein!** Bei großen Tempe-
raturwechseln wird die Kamera sofort
beschlagen. Beschlag von außen ist
mit einem weichen, fusselfreien Tuch
schnell zu beheben. Ist die Kamera
von innen beschlagen, kann es bis
zu 30 Minuten dauern, bis der Tau
verschwunden ist. Also: Geduld haben – und diese Zeit mit einplanen.

3. Sich warm halten! Wer friert,
verliert schnell die nötige Geduld und
Sensibilität zum Fotografieren. Vor
allem auf gute Schuhe achten und
spezielle Foto-Handschuhe kaufen.

---

das ihm den Trip nach Lappland im
Wert von 10 000 Euro einbrachte: ein
alter Mann in Bangkok, der – vertieft
in seine Zeitungslektüre – die hektische Welt der Metropole um sich
herum vergisst.

Das war es auch, was die beiden
an Lappland so fasziniert hat:
die hektische Welt vergessen zu
können. »Wir sind einmal vier Stunden
gelaufen und dabei keinem Menschen
begegnet. Ich bin eigentlich ein Stadt-
mensch, brauche den Rummel und das
Leben vor der Haustür, aber das war
beeindruckend. Hierhin möchte ich
auf jeden Fall wieder zurückkommen«,
sagt Philipp, der als Ingenieur in der
Fertigung von Flugzeugtriebwerken

bei Rolls-Royce eher Lärm gewohnt
ist. Polarlichter ließen sich dann leider
nicht entdecken – die Sonne spielte
nicht mit, und ohne ihre Strahlkraft
sind diese spektakulären Phänomene
am Nachthimmel nicht zu sehen. Fotografiert hat Philipp dennoch quasi im
Dauermodus. 2000 Fotos schoss er von
der Einsamkeit, von den so ausdau-
ernden wie sanftmütigen Huskys, mit
denen die Gewinner auf Tour waren,
vom spektakulären Design des Eisho-
tels, den bunten Holzhäusern an den
Ufern des Torneälv. Immer begünstigt
durch das kühle, klare Licht des Nordens, das den Dingen eine besondere
Wahrhaftigkeit zu verleihen scheint.
Als es an einem klaren, kalten Sonntag zurück in die Heimat ging, sind

GEMEINSAM GESTALTEN
Nach ihrer großen Reise haben sich Birte Schulz und Philipp von Haugwitz gleich an den Computer gesetzt – und die CEWE Gestaltungssoftware heruntergeladen. Denn aus den eigenen Fotos einen Kalender zu erstellen, lässt einen die Traumreise noch einmal durchleben

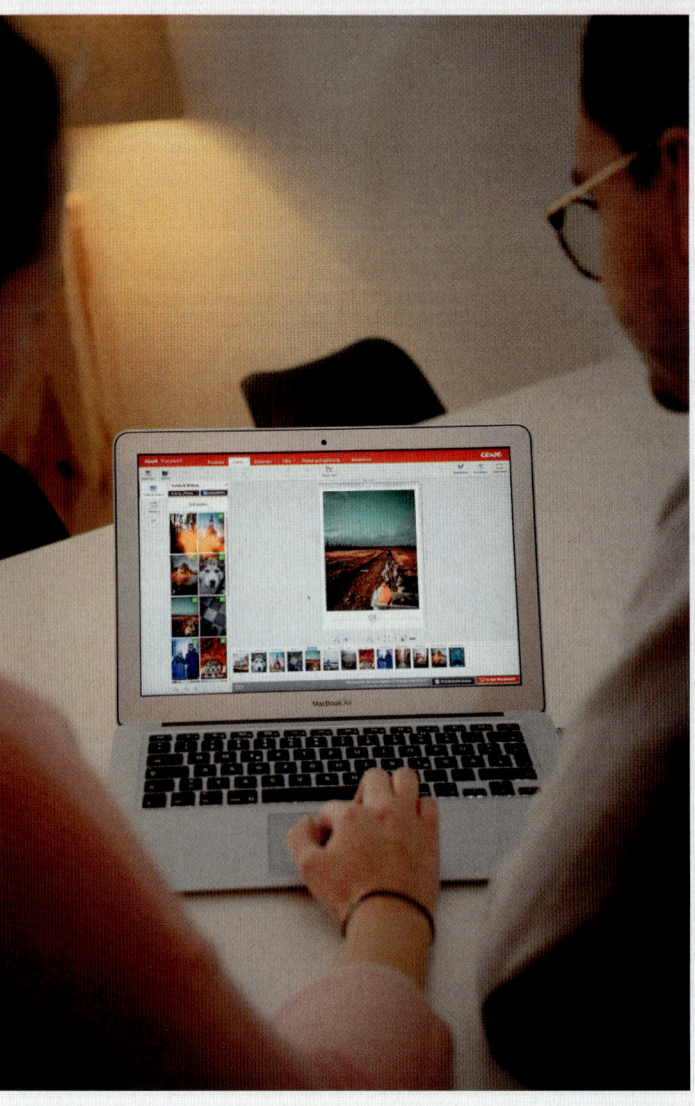

ALLEIN GENIESSEN
Der überdimensionale Bilderrahmen direkt hinter dem »Icehotel« in Jukkasjärvi war für Birte Schulz der perfekte Platz, um die Weite des Flusses Torneälv auf sich wirken zu lassen – und für die Fotografin ein ganz besonders schönes Motiv

sich Philipp und Birte einig: »Es war eine fantastische Reise mit vielen unerwarteten Eindrücken, die unvergesslich bleiben.«

Wieder in Berlin wartete eine Sisyphusarbeit auf die zwei, denn über dem Küchentisch soll sie ein CEWE Kalender an diese zwei Wochen in Schweden erinnern. Zwölf Bilder aus über 2000 herauszufiltern: Das verlangt Geduld und Entscheidungsfreudigkeit. Die CEWE Gestaltungssoftware half dann bei der Bildbearbeitung. Kontraste wurden verstärkt, an der Helligkeit gedreht und Ausschnitte verändert.

Wenige Tage später schon lieferte die Post den Wandkalender, der jetzt seinen Ehrenplatz in der Küche bezo-

gen hat. Philipp und Birte betrachten ihn lange. Ein Husky blickt sie durchdringend aus seinen faszinierenden Augen an. Das eine ist blau, das andere braun, ein nicht selten auftretendes Phänomen bei Huskys.

»Die Bilder zu sehen, versetzt mich gleich wieder dorthin«, sagt Philipp von Haugwitz. Gerade sitzt er daran, noch ein CEWE FOTOBUCH zu gestalten. Dort kann er weit mehr Bilder unterbringen. Wenn man zuhört, möchte man wetten, es werden noch weitere Fotobücher folgen. Und weitere Reisen auch, da ist sich Freundin Birte sicher. »Jeden Morgen, wenn ich das Bild vom Kalender anschaue, denke ich: Da müssen wir unbedingt wieder hin.«

BLÄTTERSPASS
Was für ein großartiges Foto, um ein neues Jahr beginnen zu lassen! Mit den vielen Möglichkeiten der CEWE Gestaltungssoftware lässt sich aus zwölf Lieblingsmotiven ganz einfach ein wunderbarer Bilderbogen zusammenstellen

WANDSCHMUCK
Was das CEWE Versandzentrum im Nu verschickte, hängt jetzt bei dem Gewinner unseres Leserfoto-Wettbewerbs in der Wohnung: ein CEWE Kalender mit den schönsten Bildern einer spannenden Reise nach Schweden

---

CEWE KALENDER | SO EINFACH GEHT ES!

Meine Traumreise auf einem schönen Wandkalender? Das geht mit CEWE perfekt. Wer gleich loslegen will, macht es mobil per App oder online. Am größten sind die Gestaltungsmöglichkeiten, wenn Sie die kostenlose Bestellsoftware von CEWE downloaden: **www.cewe.de/bestellsoftware.html** Dank der idealen Mischung aus vorbereiteten Layouts, unterschiedlichen Kalendarien, jeder Menge Cliparts, der Möglichkeit, kleine Texte einzubauen und vor allem dank der Freiheit für eigene Gestaltungsideen können Sie aus Ihren Lieblingsbildern schnell einen hochwertigen Kalender entwerfen – übrigens das ganze Jahr über, denn der Startmonat ist frei wählbar. Der besondere Clou: die neue Holzleiste für den A4-Kalender. Die Leiste aus nachhaltig produziertem Eichenholz gibt es in Weiß, Schwarz oder in Natur-optik, sie wird einfach auf die Spiralbindung gesetzt und verleiht dem Kalender einen edlen Look. Auch sehr schön: Beim A2-Format lässt sich das Kalender-cover zusätzlich mit einer eleganten Goldveredelung gestalten. Weitere Infos unter **www.cewe.de**

Sohn Karsten, Bäcker

Für alle, die für uns früher aufstehen.

Vater Kurt, Bäcker

FÜR EUCH. **Bild** am Sonntag

48 STUNDEN IN

Helsinki

Vom Designklassiker bis zum Saunabesuch: Die Kuratorin Anna Vihma schätzt die schönen Dinge des Lebens. In MERIAN führt sie zu ihren Lieblingsorten in der finnischen Hauptstadt

Anna Vihma, 40, arbeitet als Kuratorin an Helsinkis Designmuseum. Mit gut 600000 Einwohnern ist die Stadt Finnlands kulturelles und wirtschaftliches Zentrum, mehr als jeder zehnte Finne lebt hier. Vihma studierte Film und Zeichentrick an der Kunstakademie in Turku, bevor sie vor zehn Jahren herzog. Sie wohnt im Viertel Töölö – für sie eines der schönsten Quartiere der Stadt

Riesig kam mir Helsinki vor, als ich das erste Mal mit dem Zug aus der Provinz hier angekommen bin. Ich erinnere mich noch genau, ich war 15 Jahre alt und verreiste das erste Mal ohne meine Eltern. Heute weiß ich, wie kompakt die Stadt in Wahrheit ist – und dass gerade das einer ihrer großen Vorzüge ist. Zu Fuß oder mit dem Rad kommt man praktisch überallhin.

Vor zehn Jahren bin ich nach Helsinki umgezogen. Inzwischen habe ich das Glück, im Stadtteil Töölö zu wohnen, einem meiner Lieblingsviertel. Es ist sehr grün, auch wegen des Sibeliusparks direkt am Wasser. Gleichzeitig liegen hier aber auch viele bekannte Sehenswürdigkeiten. Weshalb man für einen ersten Helsinki-Eindruck wunderbar durch Töölö schlendern kann – am besten nach einem Kaffee in der Bäckerei Levain oder nebenan in der Cafetoria.

In Töölö steht etwa das Parlamentsgebäude, entworfen 1926 von Johan Sigfrid Sirén und ein Beispiel für den Nordischen Klassizismus. Durch die Corona-Pandemie fallen die Führungen erstmal aus, aber auch von außen be-

kommt man wie in vielen Straßen des Viertels einen Eindruck davon, wie Helsinki im frühen 20. Jahrhundert ausgesehen hat. Vielleicht ist dafür das Restaurant Elite von 1932 geöffnet, das schon damals ein beliebter Künstlertreff war. Es gibt in Töölö auch spannende neuere Bauten wie die kurvenförmige Stadtteil-Bibliothek, die Aarne Ervi 1962 entworfen hat. Die Treppen sind ellipsenförmig angelegt, und im Zusammenspiel mit dem Oberlicht genau im Zentrum über dieser Ellipse wirkt der Raum zwischen den Geländern von unten wie ein Auge. Töölö war der erste Stadtteil, der eine Bücherei für die Bürger von Helsinki eröffnete, schon 1899 war das. Wir Finnen nehmen ja oft eine besondere Rolle in internationalen Vergleichen ein, eine von diesen Aufstellungen besagt, dass wir traditionell große Zeitungs- und Bücherliebhaber sind. Vielleicht wegen der langen dunklen Winterabende – die auch ein Grund dafür sein könnten, dass Finnen fast immer und überall Kaffee trinken. Sehr typisch ist es für Bewohner von Helsinki, vormittags über den Hakaniemi-Markt

Kälteschock mit Blick auf die Domkuppel: Im Hafen von Helsinki bietet das Allas-Seebad Abkühlung nach der Sauna – egal zu welcher Jahreszeit

Pinke Pause: Lokale wie
das Café »Vanille« machen
die Insel Suomenlinna
zum beliebten Ausflugsziel

zu schlendern und sich zwischen den Ständen für Fisch, Obst und Gemüse einen Kaffee zu holen.

Wie fast alles in der Stadt ist der Markt nicht weit vom Wasser entfernt. Das Meer begleitet dich hier ständig. Am Wochenende fahre ich manchmal mit einer der vielen Fähren durch den Archipel. Zum Beispiel nach Suomenlinna, eine ehemalige Bastionsinsel mit dicken Festungsmauern und Kanonen, aber auch mit viel Grün und kleinen Cafés. Die Fähre, die dort anlegt, startet an einem Pier nicht weit vom Hakaniemi-Markt. Wenn ich Lust auf Strand habe, fahre ich zur Insel Pihlajasaari, südlich vom Zentrum. Zu einem Verwöhn-Wochenende gehört für mich auf jeden Fall auch gutes Essen. Für einen reichhaltigen Brunch empfehle ich das Way im Kallio-Viertel. Abends kann man im Baskeri & Basso gut essen – dort bekommt man das beste Risotto der Stadt. Ein kleiner Luxus ist das Gourmetrestaurant Grön.

Als Kuratorin habe ich immer ein Auge darauf, was es an neuer, junger Kunst in Helsinki gibt. An Wochenenden gehe ich deshalb gerne zur Galerie SIC im Stadtteil Kannelmäki, etwas außerhalb des Zentrums. Der Weg lohnt sich, die Kollegen dort überraschen mich immer wieder mit ihren Ausstellungen – egal, ob Installationen, Acrylgemälde oder Bleistiftzeichnungen zu sehen sind.

Die Ikone unter den finnischen Kreativen ist natürlich der Architekt und Möbeldesigner Alvar Aalto. Ein Besuch in seinem ehemaligen Wohnhaus ist fast ein Muss, wenn man sich für Design interessiert. Er hat es zusammen mit seiner Frau Aino entworfen, die ebenfalls Architektin war. Man kann im Aalto-Haus die originalen Möbel und Objekte sehen, mit denen die Aaltos gelebt haben, darunter die berühmte Savoy-Vase und der geschwungene Paimio-Sessel.

Das Paar hat zusammen mit anderen die Möbelmarke Artek gegründet. Ein Artek-Stück hat seinen Preis, deswegen mag ich den Laden Artek 2nd Cycle. Die Inhaber haben über die Jahre Aaltos Möbel auf Flohmärkten gesammelt und verkaufen sie jetzt secondhand. Selbst wenn man nichts kaufen will, macht es Spaß, dort zu stöbern. Wer vom Stil der Aaltos nicht genug bekommen kann, geht mittags ins Savoy. Vor der Eröffnung 1937 hatten die beiden die Inneneinrichtung gestaltet.

Als Design-Metropole verlockt Helsinki immer wieder, sich schöne Dinge für zu Hause zu kaufen. Ich mag die Keramik und Glas-Objekte im Geschäft Lokal. Wirklich, es ist sehr schwer, wieder zu gehen, ohne etwas zu kaufen, etwa eine neue Tasse für den Morgenkaffee. Wenn ich bei einer Shoppingtour noch eins draufsetzen möchte, gehe ich zu Arela, das ist eine finnische Marke für hochwertige Kleidung aus Kaschmir.

Zum krönenden Abschluss eines Wochenendes entspanne ich sonntagabends gern im Yrjönkatu-Schwimmbad. 1928 gebaut, ist es das älteste öffentliche Hallenbad der Stadt. In Kabinen, die auf der Empore um das Becken gebaut sind, kann man sich zwischen Sauna und Schwimmen ausruhen. Darin steht ein Bett und ein kleiner Tisch für Getränke und Snacks. Es gibt getrennte Zeiten für Männer und Frauen. Ob Sie dann mit oder ohne Badeanzug schwimmen möchten, bleibt ganz Ihnen überlassen. ∎

Protokoll: Silvia Tyburski

STIL-IKONEN

Das Designmuseum, in dem Anna Vihma als Kuratorin arbeitet, ist ein Highlight in Helsinki. Hier sind sie alle versammelt, die schönen und praktischen Dinge, die in Finnland gestaltet wurden: von den Kleidern von Marimekko mit ihren berühmten Mustern über die »Bölgeblick«-Gläser von Aino Marsio-Aalto und den »Tulip«-Stuhl von Eero Saarinen bis zu den Handys von Nokia.
Korkeavuorenkatu 23
www.designmuseum.fi

ADRESSEN

Bäckerei Levain Runeberginkatu 29, www.levain.fi
Cafetoria Runeberginkatu 31 www.cafetoria.fi
Restaurant Elite Eteläinen Hesperiankatu 22, www.elite.fi
Töölö-Bibliothek Topeliuksenkatu 6 www.helmet.fi/toololibrary
Hakaniemi-Markt Hämeentie 1A www.hakaniemenkauppahalli.fi
Suomenlinna www.suomenlinna.fi
Bäckerei Way Agricolankatu 9 www.waybakery.fi
Baskeri & Basso Tehtaankatu 27-29 www.basbas.fi
Restaurant Grön Albertinkatu 36 www.restaurantgron.com
Galerie SIC Purpuripolku 3-5 www.sicspace.net
Aalto-Haus, Riihitie 20 www.alvaraalto.fi
Artek 2nd Cycle Pieni Roobertinkatu 4-6 www.artek.fi/2ndcycle
Restaurant Savoy Eteläesplanadi 14 www.savoyhelsinki.fi
Lokal Annankatu 9 www.lokalhelsinki.com
Arela Pohjoisesplanadi 33 Kämp Galleria, 2. Stock www.arelastudio.com
Schwimmbad Yrjönkatu Yrjönkatu 21B
Allas Sea Pool Katajanokanlaituri 2a www.allasseapool.fi
Café Vanille Suomenlinna C 18 III www.cafevanille.fi

1| Erster Stopp im Schärengarten: Klippan liegt direkt vor Helsinkis Hafeneinfahrt 2| Klassiker mit Patina: Bei »Artek 2nd Cycle« gibt's Stühle von Alvar Aalto und andere gebrauchte Designklassiker 3| Frühstück im »Levain« mit Sauerteigbrot aus dem Steinofen

RUSSISCHE
HOCH

KUNSTAKADEMIE

Ein Ausflugsschiff vollzieht eine Kehrtwende auf der Newa – direkt unter den Augen von Minerva, römische Göttin der Weisheit, des Handwerks und der Kunst, deren Statue auf dem Dach der Russischen Kunstakademie thront. Die wurde 1757 unter Kaiserin Elisabeth eröffnet und besticht Besucher üblicherweise mit ihrer klassizistischen Fassade. Diese Drohnenaufnahme zeigt dagegen den Blick in den runden Innenhof und über die Dächer am Südufer des Flusses

GEFÜHLE

Ganz im Osten, ganz weit oben: Am letzten Zipfel der
Ostsee liegt mit **St. Petersburg** eine majestätisch schöne Stadt.
Ihre wahre Größe offenbart sie aber erst aus der Luft

FOTOS **MONICA GUMM**

PETER-UND-PAUL-FESTUNG

Ihr Umriss erinnert an einen Stern: Ab 1703 entstand
die Befestigungsanlage auf der Haseninsel. Mit ihr
begann die Geschichte St. Petersburgs, auch wenn sie
später für militärische Zwecke nie genutzt wurde.
Heute gehört die Festung mit der Altstadt zum Weltkulturerbe der UNESCO, beherbergt diverse Museen
und die im Abendlicht golden illuminierte Peter-
und-Paul-Kathedrale – letzte Ruhestätte der Zaren

KIRCHE MARIÄ HIMMELFAHRT

Wie frisch vom Frost überzogen glänzen ihre Zwiebel-
hauben im Sonnenlicht. Am größten Turm der 1895 ein-
geweihten, neobyzantinischen Kirche führt eine schmale
Leiter hinauf bis zu dem mehr als 800 Kilogramm
schweren Kreuz auf der Spitze. Zu Zeiten der Sowjetunion befand sich in dem Gotteshaus an der Newa
die erste Kunsteisbahn der Stadt, erst 2013 wurde die
komplett renovierte Kirche erneut eingeweiht

ISAAKSKATHEDRALE

Über den Dächern von St. Petersburg: Die Menschen,
die hier oben den Blick genießen, gehören zu den vielen
Rooftop-Fans der Stadt. Dachklettern ist in der Fünf-
Millionen-Metropole extrem populär. Da die Stadt sehr flach
ist, hat man in jede Richtung freie Sicht – auch zur rund
100 Meter hohen Isaakskathedrale, die 1858 vollendet
wurde. Der Spitzname ihrer Kuppel: Gottes Tintenfass

»ES VERSCHLÄGT EINEM DEN ATEM«

Ihre Dächer gehören zu den Lieblingsorten der
Einwohner St. Petersburgs – **Anastasia Kuznetsova** bringt
auch Fremde zu den einst verbotenen Orten

MERIAN: Frau Kuznetsova, mit Ihrer Agentur »Russian Insiders« bieten Sie Rooftop-Touren über die Dächer von St. Petersburg an. Wie laufen die Touren ab?
ANASTASIA KUZNETSOVA: Unsere Gäste besuchen zwei Dachterrassen, die aber aus fünf einzelnen Dächern bestehen können, da die Gebäude ineinander übergehen. Die genauen Orte wechseln bisweilen, aber alle befinden sich im historischen Zentrum. Die Tour wird von mindestens einem Guide geleitet, dauert zwischen einer und anderthalb Stunden, und währenddessen sieht man die bekanntesten Sehenswürdigkeiten der Stadt.
So viele Stockwerke über dem Boden – ist das nicht gefährlich?
Ist es nicht. Es ist sehr sicher, über die Dächer zu klettern, sie haben alle Zäune am Rand. Solange man keine Höhenangst hat und bequeme, rutschfeste Schuhe anzieht, ist alles in Ordnung. Man muss auch nicht ganz nah an die Kanten herantreten. Kinder

über zwölf Jahren können ebenfalls an der Tour teilnehmen, und solange es nicht stark schneit oder regnet, bieten wir sie auch im Winter an.
Warum lohnt es sich gerade in St. Petersburg, die Stadt von oben zu entdecken?
In Moskau, wo wir die Tour auch anbieten, gibt es viele natürliche Erhebungen. Aber St. Petersburg ist so flach, dass man auf die Gebäude rauf muss, um etwas zu sehen. Und bei der Tour hat man wirklich die ganze Stadt im Blick! Man muss nur den Kopf drehen, und dabei sieht man so viele berühmte und wunderschöne Orte – die Auferstehungskirche, die Isaakskathedrale oder den Newski-Prospekt, die Hauptstraße der Stadt. Deswegen sollte man eine Rooftop-Tour machen.
Ein Sprichwort sagt: Wer ein wahrer Einwohner St. Petersburgs sein will, muss einmal in einer Gemeinschaftswohnung gelebt haben und über die Dächer geklettert sein. Es soll rund 10 000 Dachkletterer in der Stadt ge-

ben. Warum ist das so eine beliebte Beschäftigung?
Weil es sehr romantisch ist, glaube ich. Die Stadt verschlägt einem dort oben den Atem. Viele Leute machen auf den Dächern auch Picknicks, feiern Geburtstage oder machen ihrem Partner einen Heiratsantrag.
Das Klettern über die Dächer befand sich lange in einer rechtlichen Grauzone. Wie ist die Situation heute?
Bis vor ein paar Jahren war es noch verboten, und alle Dächer waren verschlossen. Jetzt aber ist es legal, und alles ist in Ordnung. Wir haben die Papiere und Erlaubnisse, um nach oben zu gehen.
Wo hat man Ihrer Meinung nach den schönsten Blick über die Dächer?
Von einem Ort im Stadtzentrum ganz in der Nähe der Isaakskathedrale. Er ist ein gut gehütetes Geheimnis, und nicht alle Guides haben die Schlüssel, um zu ihm zu gelangen. Und auch wenn es dort oben so eng ist, dass man nicht aufrecht sitzen kann, ist es ein sehr schöner Platz.
www.russianinsiders.com

48 STUNDEN IN

St. Petersburg

Eremitage, Auferstehungskirche, Schloss Peterhof: Alle
Welt kennt die großen Schätze der alten Zarenstadt. Für ein paar
Geheimtipps folgen Sie am besten Kuratorin Anastasia Patsey

*Anastasia Patsey, 28, hat
drei Abschlüsse, darunter
einen in Kunstgeschichte,
Zwillingstöchter und zwei
Jobs: Sie leitet das Museum
für nonkonformistische
Kunst in St. Petersburg
und kümmert sich um die
St. Petersburg Art Residency
(SPAR), ein internatio-
nales Residenzprogramm
für Kulturschaffende*

Seit ich 18 bin, ist Reisen ein großer Teil meines Lebens. Ich habe an der Bauhaus-Universität in Weimar und in Salzburg studiert, war viel für Konferenzen und Vorlesungen unterwegs. Aber St. Petersburg habe ich nie für allzu lange verlassen – meine Verbindung zu dieser Stadt ist einfach zu stark!

Meine Kindheit habe ich in einer Vorstadt verbracht. Jedes Wochenende bin ich mit meiner Mutter in die Stadt gefahren, um Museen und Kinderkurse zu besuchen. Es existiert ein Video von mir als kleines Mädchen, in dem ich vor einer Weltkarte stehe und erzähle, dass ich aus dem »Land Sankt Petersburg« komme. Ich war eine ganze Weile wirklich davon überzeugt, dass es die größte Stadt der Welt ist. Schon damals mochte ich die schönen Gebäude, die Boote auf den Kanälen, mit denen ich ab und zu fahren durfte, die märchenhaften Palais und Parks wie den Peterhof und das Puschkin-Viertel Zarskoje Selo.

Das Museum für nonkonformistische Kunst und die Künstlerresidenz, für die ich arbeite, liegen im Zentralnij-Bezirk, dem historischen Zentrum, wo auch die meisten anderen Museen und Galerien der Stadt zu finden sind. Von den sehenswerten Orten in der Nähe würde ich das Etagi-Loft empfehlen, ein kreatives Hinterhofprojekt in einer ehemaligen Brotfabrik mit vielen Designerläden, kleinen Cafés und einer Aussichtsplattform. Aber auch das Arktis- und Antarktismuseum mag ich, weil es so herrlich altmodisch ist – die Ausstellung darin ist seit 50 Jahren fast unverändert. Nicht weit weg sind der Kusnetschny-Markt, wo man viele russische Spezialitäten probieren kann, sowie die wunderschöne Straße Ulitsa Pravdy – ab da geht es in den sogenannten Dostojewski-Teil der Stadt, zu den Orten, an denen sein Roman »Schuld und Sühne« spielt. Und gehen Sie auch unter die Erde! Die U-Bahn-Stationen gehören zu den schönsten der Welt. Unsere Besucher kommen an der Station Ploschtschad Wosstanija an. Die ist auf jeden Fall unter den Top 5 der Metro-Stationen.

Die internationalen Gäste unserer Residenz leben direkt im Kunsthaus, neben lokalen Künstlern, Galerien und unserem

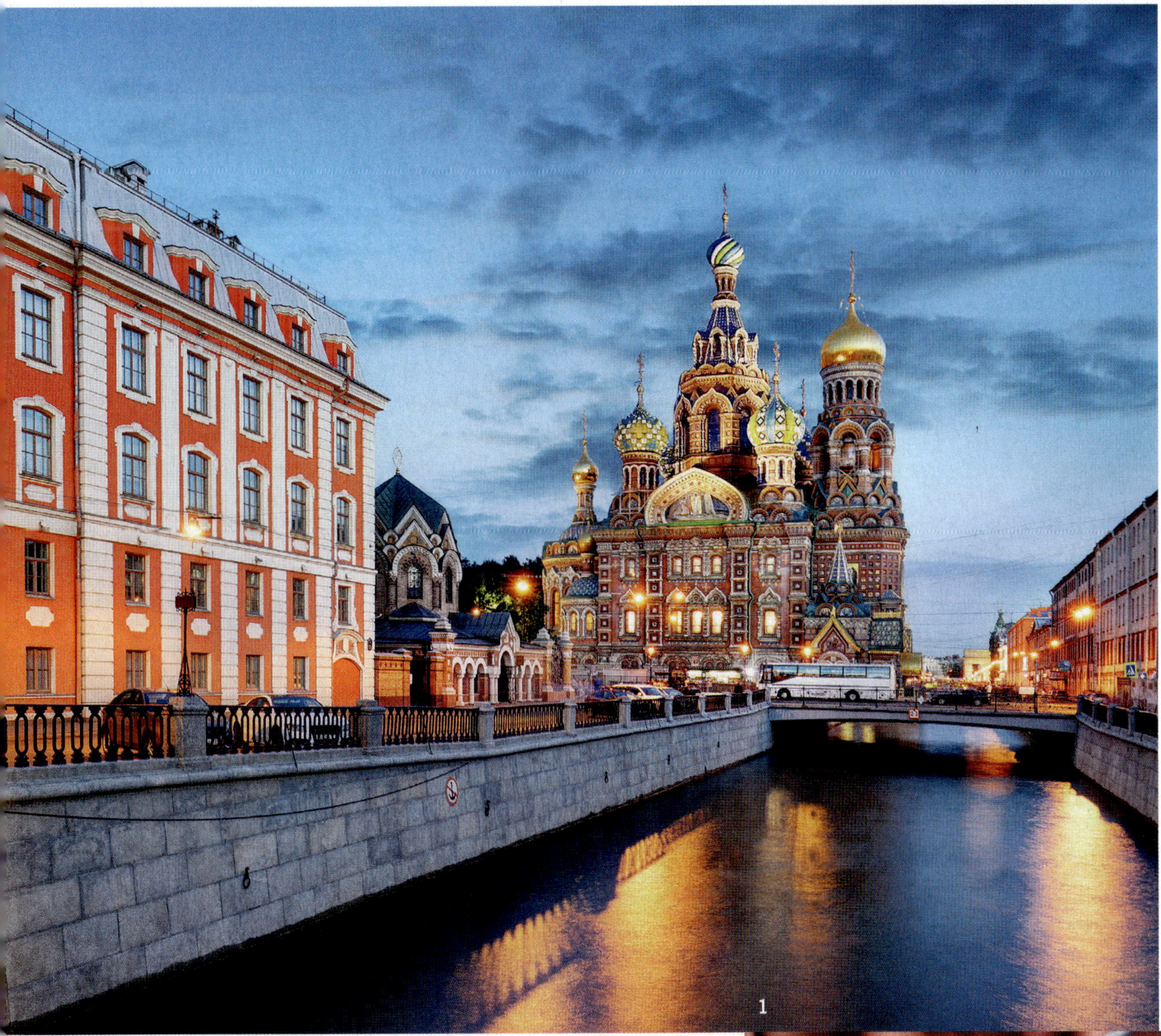

1

2

1| Schmuckstück: Die Auferstehungskirche strahlt
eine erhabene Eleganz aus 2| Bowl-Vergnügen: Im
»Mechtateli« gibt es Feines zum Frühstück 3| Stöbern
und staunen: Der Flohmarkt am Udelnaja-Bahnhof
ist einer der größten in Russland

3

Alle Kunstwerke in der Eremitage anzusehen, würde acht Jahre dauern

Museum. Dort befinden sich ihre Gastwohnung, ihr Atelier, unsere Kneipe und die Bibliothek. Man müsste das Haus eigentlich gar nicht verlassen – alles ist da. Aber natürlich zeige ich ihnen immer die Stadt. Wer vorher noch etwas frühstücken mag, kann sich bei gutem Wetter mit leckerem Kaffee oder Tee zum Mitnehmen am Ufer der Newa oder an den Strand bei der Peter-und-Paul-Festung hinsetzen. Zu meinen Lieblings-Bäckereien gehören: Busche, eine der ältesten in St. Petersburg, und das Du Nord, ein Stück Frankreich gegenüber dem Moskauer Bahnhof. Es hat rund um die Uhr geöffnet und ist ein traditioneller Frühstücksort. Für alle, die auf der Suche nach etwas Feinerem sind, empfehle ich das Mechtateli am Fontanka-Ufer mit den höchstwahrscheinlich besten *Syrniki,* eine Art gebratener Klöße aus Quarkteig und in Russland eine sehr beliebte Morgenspeise.

Danach würde ich natürlich die Eremitage besuchen. Es wurde einmal ausgerechnet, dass man acht Lebensjahre brauchen würde, um in dem Museumskomplex jedes Kunstwerk sehen zu können. Wenn man nur für ein paar Stunden kommt, schaut man sich am besten in den Haupträumen des Winterpalais um. Sehen Sie dort aus den Fenstern! So einen Blick auf die Newa und den Palaisplatz finden Sie sonst nirgendwo. Zu den wichtigsten Werken gehören Gemälde der niederländischen Kunst des 17. Jahrhunderts, der impressionistischen und postimpressionistischen Malerei und der Renaissance. Es gibt dort Bilder von da Vinci, Michelangelo, Tizian, Rembrandt, Picasso, Monet, Matisse, die sollte man gesehen haben.

Ich mag auch die Abteilung mit der Kunst der Antike im Erdgeschoss.

Die meisten unserer Gäste interessieren sich vor allem für das, was außerhalb einer klassischen St.-Petersburg-Route liegt. Zu der Liste der ungewöhnlichsten und beeindruckendsten Orte gehört die verlassene Fabrik Krasnyj Treugolnik. St. Petersburg ist auch bekannt für seine Innenhöfe. Für Touristen sehen sie aus wie richtige Labyrinthe, aber für Stadtbewohner sind es oft geheime Gärten, versteckte Sommerterrassen und praktische Abkürzungen, wenn man zu Fuß oder mit dem Rad unterwegs ist. Einer der bekanntesten Innenhöfe ist der Mosaikhof auf der Tschaikowski-Straße. Er liegt in der Nähe der Stieglitz Kunstakademie, die man, wenn man schon dort ist, auch unbedingt besuchen sollte.

Natürlich kann man in St. Petersburg auch sehr gut shoppen, ich mag die lokalen Designerläden, die russische Mode präsentieren. Viele solcher Geschäfte findet man auf der Rubinstein-Straße, im Etagi-Loft und auf der Neu-Holland-Insel. Zum Essen geht man am besten in die Rubinstein-Straße, da liegen zwei meiner Lieblingsrestaurants: Bekitzer mit israelischen Streetfood-Gerichten und Smoke mit echtem amerikanischen Barbecue. Gerade, wenn Sie nur kurz in der Stadt sind, gehen Sie auf jeden Fall spazieren! Zum Beispiel am Newski-Prospekt, der Prachtstraße, die zum Palastplatz mit der Eremitage führt. Eine echte Zeitreise ist der große Flohmarkt am Udelnaja-Bahnhof, samstags und sonntags kann man dort zwischen den Ständen umherlaufen und manchmal kleine Schätze und Raritäten aus der sowjetischen Vergangenheit finden. *Protokoll: Silvia Tyburski* ∎

1| Russischer Chic: die Boutique Usta Kustam auf der Neu-Holland-Insel 2| Prachtbau und Pflichtprogramm: Die Eremitage ist eines der größten und bedeutendsten Museen der Welt 3| Wo St. Petersburgs Geschichte begann: die Peter-und-Paul-Festung an der Newa

Ein Farbrausch in allen Honigtönen:
Aus fast einer halben Million Teilen
haben Restauratoren das berühmte
Bernsteinzimmer bis ins kleinste
Detail nachgebaut. Seit 2003 ist es
im Sommerpalast in Zarskoje Selo,
südlich von St. Petersburg zu sehen

ST. PETERSBURG

BERNSTEINZIMMER: DAS VERSCHOLLENE ORIGINAL

Im Jahr 1716 schenkt König Friedrich Wilhelm I. dem russischen Zaren ein ganzes Zimmer aus Bernstein, eine prunkvolle Wandtäfelung, hergestellt aus dem honigfarbenen, fossilen Harz. Das Bernsteinzimmer hatte sich Peter der Große »seit Langem gewünscht« – als Gegengabe schickt er 55 »Lange Kerls« nach Preußen, Soldaten fürs königliche Garderegiment. Das Prachtzimmer aber schmückt zunächst den Winterpalast seiner Tochter Elisabeth in Zarskoje Selo, bis sie das Schmuckstück 1755 in ihren Sommerpalast, heute Katharinenpalast genannt, bringen lässt. Hier, rund 25 Kilometer südlich der damaligen Hauptstadt, findet der Bernsteinschmuck Platz in einem knapp 100 Quadratmeter großen Saal: 24 venezianische Spiegel, Edelsteine, vergoldete Leuchter und Florentiner Mosaiken vollenden schließlich das Kunstwerk. Ein paar Jahre später wird auch noch das Deckengemälde durch echte Bernsteinschnitzereien ersetzt. Besucher schwärmen von dem prächtigen Saal als dem »achten Weltwunder«. 1941, in den Wirren des Zweiten Weltkriegs, bauen die Deutschen den Prunksaal ab, verfrachten ihren Raub nach Königsberg. Drei Jahre später verschwindet er auf seinem Weg Richtung Westen. Seitdem jagen Schatzsucher und mal mehr, mal weniger seriöse Forscher dem Mythos Bernsteinzimmer hinterher, suchen überall auf der Welt, in Polen, Tschechien, im thüringischen Walpersberg, selbst in Afrika und Amerika. Dabei ist das Bernsteinzimmer längst zurück – wenn auch bloß als Kopie. Seit 2003, dem Jahr, in dem St. Petersburg 300. Geburtstag feiert, ist der nachgebaute Saal Teil des Sommerpalastes. Bis zu 60 Restauratoren hatten jahrzehntelang geforscht, alte Fotos ausgewertet, Archive und wissenschaftliche Arbeiten durchforstet. Schließlich setzten sie aus nahezu einer halben Million Bernsteinteilchen den Wandschmuck neu zusammen. Doch was ist schon eine Kopie, so perfekt sie auch sein mag, gegen das Original. So geht die Suche weiter. Womöglich bis in alle Ewigkeit.

Zarskoje Selo, www.tzar.ru

Die Start-

In Sachen Digitalisierung hat Estland weltweit die Nase vorn, das prägt auch die Hauptstadt **Tallinn.** Unternehmen werden hier innerhalb von Minuten online gegründet, was früher Industriegebiet war, ist heute Kreativcampus der IT-Szene. Eine Reise ins Herz von »e-Estonia«

TEXT **SABINE HERRE**

up-Stadt

Auf Alt mach Neu! Moderne Bürotürme – abends rot und blau leuchtend – schmücken das Dach einer ehemaligen Tischlerei in Tallinns Rotermann-Viertel. Dazwischen schieben sich Rathausturm und Alexander-Newski-Kathedrale ins Bild

Am »Kreativcampus Telliskivi« wartet George Groshkov auf die Teilnehmer seiner Sightseeingtour. »Explore the Startup Scene in Tallinn« lautet der Titel, und gebucht haben sie nicht nur IT-Geeks, sondern auch Manager von Daimler. Der 33-jährige George bezeichnet sich gern als »Reisender, Designer und Unternehmer«. Aus Bulgarien ist er vor sieben Jahren in die estnische Hauptstadt gekommen. Selbst Estnisch spricht er inzwischen gut, was eigentlich gar nicht nötig wäre. Denn Englisch ist zur zweiten Landessprache Estlands geworden.

»Telliskivi«, wo die Start-up-Tour beginnt, ist ein heruntergekommenes Industrieareal jenseits des Hauptbahnhofs. Die kalksteingrauen Wände sind mit riesigen Graffiti bedeckt, 250 Unternehmen haben sich hier angesiedelt, jährlich finden 600 Kulturveranstaltungen statt. Obwohl es an die zehn Restaurants und Kneipen gibt, ist es besser, am Abend einen Tisch zu reservieren. Und spätestens dann, wenn man sich zum Essen hingesetzt hat, wird man sich fragen: Was ist so besonders an der Start-up-Szene Tallinns, dass selbst Manager von Daimler, Investoren aus Asien, Wissenschaftler aus England oder Vertreter von EU-Regierungen hierherkommen?

Tatsächlich gilt Estland seit fast einem Jahrzehnt als »die höchstentwickelte digitale Gesellschaft der Welt«. Es gibt über 1000 Start-ups, und allein 2019 wurden es 150 mehr. Rund 6000 Esten und Estinnen arbeiten für die jungen Unternehmen. Das klingt vielleicht nicht besonders eindrucksvoll, doch Estland zählt eben auch nur 1,3 Millionen Einwohner. In keinem anderen Land der Welt gibt es mehr Start-ups pro Einwohner als in Estland. »In wenigen Minuten eine eigene Firma gründen können, das ist, was für die jungen Esten zählt«, sagt George Groshkov. »Und unsere Gesetze ermöglichen das. Wir haben eigentlich keine Bürokratie, und das gefällt besonders den Deutschen.« Tatsächlich hält Estland mit nur 18 Minuten den Weltrekord für die schnellste Gründung eines Unternehmens. Dass das Ganze im Internet stattfindet, versteht sich von selbst.

Doch Telliskivi ist nur ein Beispiel für einen Start-up-Campus in Tallinn. Die Szene ist inzwischen so groß, dass sie sich ausdifferenziert hat und immer neue Räume besetzt. Einer der wichtigsten Gründerzentren ist Tehnopol in Mustamäe, wo sich 200 Betriebe vor allem aus dem IT-Bereich angesiedelt haben. Auch Skype hat in unmittelbarer Nähe seinen Sitz. Ja, Skype, das »Kommunikationstool für kostenlose Anrufe und Chats«, wie es offiziell heißt, ist anders als viele im Westen meinen, nicht etwa von Microsoft in den USA entwickelt worden, sondern von drei jungen Esten. Und ganz Estland ist bis heute stolz darauf. 1999 war es, als Jaan Tallinn, Ahti Heinla und Priit Kasesalu von einem Schweden und einem Dänen den Auftrag erhielten, möglichst schnell ein neues Internetportal auf den Markt zu bringen. 330 Dollar Honorar pro Tag zahlten sie den drei Programmierern, das war damals mehr als das Monatsgehalt eines Esten. Als Schüler hatten Jaan Tallinn und die beiden anderen das Computerspiel »Kosmonaut« entwickelt. Das war noch zu Sowjetzeiten. Jetzt beeindruckten sie mit ihrer neuen Peer-to-Peer-Technik, die den Datenaustausch direkt von Computer zu Computer ohne zwischengeschalteten Server ermöglicht, selbst IT-Fachleute aus dem kalifornischen Silicon Valley.

Skype war das Vorbild, dem viele folgten. Taxify etwa, das nun Bolt heißt und in 150 Städten und 35 Ländern weltweit Mietwagen anbietet. 19 Jahre war Markus Villig alt, als er den Konkurrenten von Uber entwickelte. Ein anderes Beispiel ist Hotmail, das schon kurze Zeit nach der

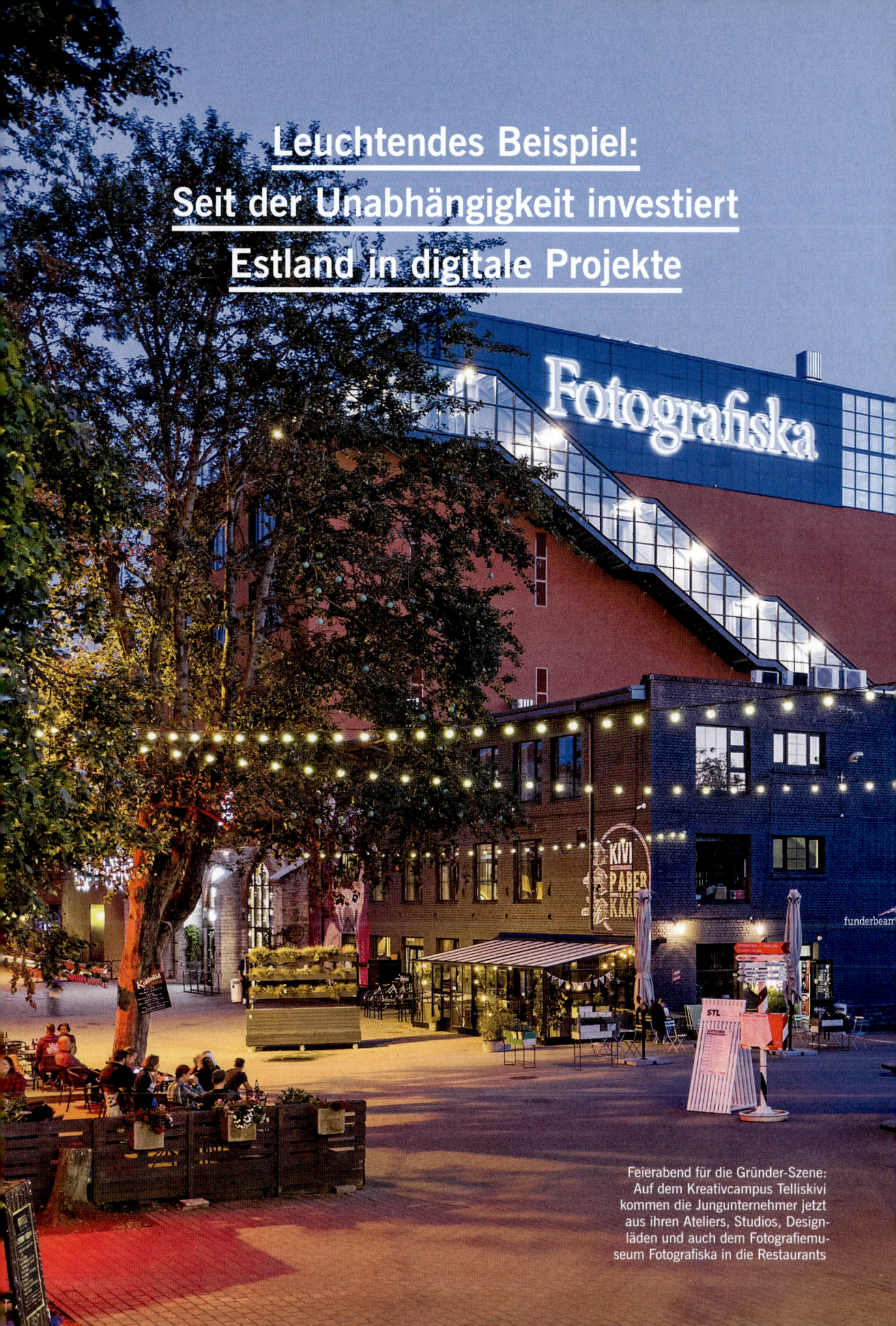

Leuchtendes Beispiel: Seit der Unabhängigkeit investiert Estland in digitale Projekte

Feierabend für die Gründer-Szene: Auf dem Kreativcampus Telliskivi kommen die Jungunternehmer jetzt aus ihren Ateliers, Studios, Designläden und auch dem Fotografiemuseum Fotografiska in die Restaurants

OBEN Tallinns höchste Terrasse:
Die »Lounge 24« liegt auf der
24. Etage des »Radisson Blu Sky
Hotels« – mit 360-Grad-Panorama

UNTEN Sehen und hören:
Die Büsten der Installation von
Villu Jaanisoo schauen nicht
nur auf den Besucher herab,
sondern sprechen zu ihm

Tallinn bewahrt sein
Erbe – aber setzt es dabei
ganz neu in Szene

Geschenk des Zaren: Peter der Große ließ das Barockschloss Kadriorg für seine zweite Frau Katharina bauen

Gründung von Microsoft gekauft wurde. Weitere sind der elektronische Geldtransferdienst TransferWise oder Lingvist, eine App zum Vokabellernen.

Wenn man heute Jaan Tallinn fragt, wie diese rasante Entwicklung möglich war, sagt er: »Die Politiker waren verhältnismäßig jung, damals nach der Wende. Sie wussten, was im Internetbereich los war.« Tatsächlich hatte die erste postsowjetische Regierung Estlands ein Durchschnittsalter von 35 Jahren und ging den Aufbau von »e-Estonia«, wie sich das Land heute stolz nennt, schon ab Mitte der 1990er Jahre strategisch an. Überall im Land wurden kostenlose Internetzugänge eingerichtet, selbst an Bushaltestellen Tallinns konnte man umsonst ins Netz. 2001 wurde dann das Recht auf einen Zugang zum Internet in der Verfassung festgeschrieben. Ein Vorteil Estlands war sicher auch die Nähe zu Finnland und dem in dieser Zeit führenden Handyanbieter Nokia. Nur 80 Kilometer beträgt die Distanz zwischen Tallinn und Helsinki, und in Zukunft könnten die beiden Hauptstädte noch enger zusammenwachsen: Der längste Eisenbahntunnel der Welt soll bis Ende der 2020er Jahre unter der Ostsee hindurchgebaut werden.

Wer vom Start-up-Zentrum Tehnopol die acht Kilometer zurück ins Zentrum von Tallinn fährt, kommt dabei durch einen Stadtteil, der sich in den letzten 25 Jahren so stark verändert hat wie kein anderer Ort im ganzen Baltikum. Zwischen orthodoxen Kirchen und sowjetischen Wohnblocks wuchsen die gläsernen Wolkenkratzer skandinavischer Banken und Hotels empor. Im Grunde besteht Tallinn heute aus zwei völlig unterschiedlichen Städten. Da ist die Altstadt, wo sich inmitten der mittelalterlichen Stadtmauer wenig geändert hat, von

Bars und Restaurants einmal abgesehen. Und da ist das Tallinn des 21. Jahrhunderts, in dem man die Straße, durch die man beim letzten Besuch gefahren ist, beim nächsten nicht wiedererkennt.

Einer derjenigen, die das neue Gesicht Tallinns entscheidend geprägt haben, ist der heute 45-jährige Andrus Kõresaar. Sein Architekturbüro KOKO gestaltete den estnischen Pavillon auf der Expo 2000 in Hannover, und danach ging es mit der Karriere steil bergauf. Das Meeresmuseum an der Tallinner Bucht, das Estnische Historische Museum im ehemaligen Haus der Großen Gilde, die Jüdische Synagoge – alles Werke von KOKO, und das sind nur einige wenige. Als KOKO vor einigen Jahren den Preis für junge estnische Architekten erhielt, lobte die Jury besonders ihre Bemühungen, alten Bauwerken ein neues Gesicht zu geben. Am deutlichsten wird dies im Rotermann-Viertel, einem ehemaligen Industrierevier am Hafen, das zu einem Szenebezirk für die junge estnische Boheme umgebaut wurde. Andrus Kõresaar sagt: »In Tallinn wächst das Neue aus dem Alten hervor. Es gibt keinen Masterplan für die Stadt, wir sind wie ein Chamäleon und lösen die jeweils anstehende Aufgabe.« Besser kann man den Wandel Tallinns wohl nicht beschreiben.

Als Höhepunkt der Arbeiten von KOKO im Rotermann-Viertel gilt die alte Tischlerei. Dies hört sich so lange wenig spektakulär an, bis man das zweistöckige graubraune Gebäude gesehen hat, auf dem sich drei, die Dimensionen sprengende viereckige Türme erheben, die bei Nacht blau und rot leuchten. Heute ist in der ehemaligen Tischlerei das beliebte Restaurant »Platz« untergebracht, wo man Salzlachs mit Rüben oder Wolfsbarsch auf Couscous essen kann. Aber auch Sauerkraut gibt es hier, ebenso wie Riesling von Rhein oder Mosel. Dies brachten schon die deutschen Kaufleute in die Hansestadt Tallinn, die damals noch Reval hieß. Diese Traditionen leben bis heute.

Ein Platz für den Sundowner:
Der Noblessner Jachthafen, dessen Anfänge bis ins frühe 20. Jahrhundert zurückgehen, ist heute
ein beliebtes Ausgehviertel

Direkt neben dem eher ruhigen Rotermann-Viertel liegt der stets belebte Viru-Platz. Er ist das Symbol einer ganz anderen Zeit und einer der wenigen Orte, die heute noch an das sowjetische Tallinn erinnern. Der prägnanteste Bau am ehemaligen Stalin-Platz ist das »Viru-Hotel«, das 1972 errichtet wurde und damals das modernste Hotel Tallinns war. Im 23. Stock befand sich ein Abhörraum des KGB, mit dem 60 der rund 500 Zimmer und auch das Restaurant überwacht werden konnten. Entdeckt wurde dies erst Mitte der 1990er Jahre. Und da es in Estland wie im ganzen Baltikum üblich ist, sich immer aufs Neue der Geschichte einer rund 800-jährigen Unterdrückung durch die großen Nachbarn zu erinnern, wurde hier ein KGB-Museum eingerichtet.

Am Viru-Platz halten zahlreiche Busse und Straßenbahnen, und so kann man von hier zum »Kumu«, dem Estnischen Kunstmuseum, in Kadriorg hinausfahren. Und schon wieder findet sich dieses typisch Tallinner Miteinander von Alt und Neu. Denn in Kadriorg, das auf Deutsch Katharinental heißt, ließ Zar Peter der Große ab 1718 für seine zweite Frau Katharina ein mit viel Stuck verziertes Barockschloss erbauen. Nur einige Schritte entfernt aber erhebt sich ein siebenstöckiges Gebäude aus Kalkstein, Kupfer, Dolomit und viel Glas, das ein wenig an ein dreieckiges Ufo erinnert, das im Schlosspark gelandet ist.

Das 2006 vollendete Kumu des finnischen Architekten Pekka Vapaavuori wurde bereits zwei Jahre später zum »Europäischen Museum des Jahres« gewählt, und viele ausländische Besucher kommen allein wegen der futuristischen Architektur hierher. Im Innern sind sie dann jedoch auch von der Gemälde-Sammlung aus der Zeit des sozialistischen Realismus beeindruckt. Immer wieder ist Stalin zu sehen, und er fehlt auch nicht in einem der innovativsten Räume des Kumu: Der Diktator und der Deutsche Kaiser Wilhelm II., estnische Bauersfrauen und deutsch-baltische Adelige, aber auch eine Möwe, blicken von ihren Sockeln nicht einfach nur auf den Besucher herab. Nein, sie sprechen zu ihm, und ihre Stimmen verbinden sich zu einem

nie endenden Flüstern. Die Idee des 1963 geborenen Künstlers Villu Jaanisoo: »In Estland gibt es unzählige solcher historischen Büsten und Statuen, sie alle erzählen gleichberechtigt die Geschichte unseres Landes.«

Doch hat diese Geschichte auch eine Bedeutung für die so junge und zielorientierte Start-up-Szene Estlands? Um diese Frage zu beantworten, muss man noch einmal zurück nach Mustamäe und zum Science Park Tehnopol. An der Technischen Universität gleich nebenan arbeitet Asko Ristolainen an seinem Tauchroboter »Youcat«. Dieser sieht aus wie eine Schildkröte und dient unter anderem dazu, Schiffswracks auf dem Meeresgrund zu erforschen. Der 34-Jährige ist Mechatroniker und Informationstechniker und leitet ein Team mit 18 Forschern aus sieben Nationen, und ihre Umgangssprache ist natürlich Englisch. Doch nach Feierabend verstaut Ristolainen seinen Roboter und packt stattdessen eine Volkstracht aus Nordestland aus. Wie so viele Estinnen und Esten ist er Mitglied in einem Ensemble für Volkstanz. Und hat überhaupt kein Problem, beide Seiten seines Lebens miteinander zu verbinden. »Volkslied und Volkstanz gehören auch für junge Esten einfach zum Leben dazu«, sagt Ristolainen. »Sie sind Teil der Tradition unserer Nation.« Viele Esten sind sogar der Ansicht, dass ohne die von Generation zu Generation überlieferten Volksbräuche die Nation in Sowjetzeiten untergegangen wäre. Schließlich heißt die Zeit, in der das Baltikum für seine Unabhängigkeit kämpfte, nicht zufällig »Singende Revolution«.

Sabine Herre verbrachte schon während ihres Studiums der Osteuropäischen Geschichte viel Zeit im damaligen »Ostblock«. Jetzt arbeitet sie als Reisejournalistin sowie als Reiseleiterin im Baltikum. Ihre »Gebrauchsanweisung für das Baltikum« ist im Piper Verlag erschienen.

Tallinns großes Talent:
das Gespür für
ungewohnte Perspektiven

Mit Blaulicht: das Meeresmuseum
im Seeflughafen von Tallinn. Im
historischen Wasserflugzeug-Hangar
liegt die »Lembit«, ein in den
1930er Jahren gebautes U-Boot

In den Club

Der »KuKu Klubi« hat viel zu Estlands Freiheit beigetragen. Politische Aktivisten und Künstler trafen sich schon seit 1935 im Keller der Kunsthalle, um sich US-Jazz und politischen Debatten hinzugeben. Heute ist das »KuKu« für die Auftritte von Punk-Rock-Bands bekannt.

Vabaduse väljak 8
www.kukuklubi.com

Durch die Stadt

Der Anbieter »Like a local guide« hat über 30 Tallinn-Touren im Programm. Sie führen zu historischen Sehenswürdigkeiten, aber auch in die Start-up- oder die Craft-Beer-Szene.

www.likealocalguide.com

Mut zu Millimallikas

Totentanz und Silberschatz, ein starker Drink und ein Wahrzeichen, das keiner liebt: unsere Tipps, was Sie in Tallinn anschauen und probieren sollten

SEHENSWERT

Alexander-Newski-Kathedrale

In vielen Reiseführern wird die orthodoxe Kirche mit ihren markanten schwarzen Kuppeln als Wahrzeichen Tallinns abgebildet – doch die Esten lieben sie gar nicht. Immer wieder dachte man sogar darüber nach, sie abzureißen, denn der Ende des 19. Jahrhunderts errichtete Bau gilt als Symbol der russischen Unterdrückung. Wer allerdings orthodoxe Gesänge mag, sollte hier einen Gottesdienst besuchen.
Lossi plats 10, www.nevskysobor.ee

Estnisches Historisches Museum

Das einstige Haus der Großen Gilde beherbergt heute ein Multimedia-Museum, das unter dem halb ironischen, halb ernsten Motto »spirit of survival« über Estlands Geschichte informiert.
Pikk 17, www.ajaloomuuseum.ee

Niguliste

In dieser früheren Kirche deutscher Kaufleute aus Gotland befindet sich eine Ausstellung des estnischen Kunstmuseums. Den Höhepunkt der Sammlung spätmittelalterlicher Altarbilder bildet der 7,5 Meter lange »Totentanz« des Lübeckers Bernt Notke. Außerdem zu sehen sind Teile des Silberschatzes der Schwarzhäupter, einer nur im Baltikum ansässigen Kaufmannsgilde.
Niguliste 3, www.nigulistemuuseum.ekm.ee

ESSEN UND TRINKEN

Leib

Das estnische Wort für Brot ist »Leib«. Das fast schwarze, süßliche Roggenbrot war jahrhundertelang das wichtigste Nahrungsmittel der estnischen Bauern. Heute serviert das nach ihm benannte Restaurant in einem romantischen Hof bei der Stadtmauer bäuerliche Gerichte aus regionalen Zutaten.
Uus 31, www.leibresto.ee

NOA

Aus zwei Gründen sollte man hierherkommen: wegen des Blicks auf die Bucht und auf die Skyline von Tallinn, doch vor allem wegen der außergewöhnlichen Kombination von nordischer und asiatischer Küche. »Salzforelle mit Roggenbrot, Zitrusfrüchten und Wachtelei« oder »Aal mit Algen, Wasabi und Sesam« sind ein echter Genuss.
Ranna tee 3, www.noaresto.ee

Schick sitzen, exquisit essen: das Restaurant »NOA« direkt an der Bucht von Tallinn

Café Maiasmokk

»Leckermaul«, so lautet auf Deutsch der Name des ältesten Kaffeehauses der Stadt. 1864 wurde es nahe des Rathauses eröffnet, und sein Interieur hat sich durch all die bewegten Zeiten hindurch kaum verändert. Zum »Maiasmokk« gehört ein Raum, in dem man beim Bemalen von Marzipan zuschauen kann. Seit Jahrhunderten streiten Lübeck und Tallinn darüber, wer das »süße Brot« erfunden hat.

Pikk 16, www.kohvikmaiasmokk.ee

Valli Baar

Die drei estnischen Erfinder von Skype haben diese unscheinbare Bar unterhalb des Doms berühmt gemacht. Das Trio schaute hier regelmäßig vorbei und holte sich bei einem »Millimallikas« neue Inspiration. Die Mischung aus Tequila, Sambuca und Tabasco sorgt stets für ein volles Haus – auch wenn manche die hochprozentige Mischung anschließend mit einem eigens dafür empfohlenen Orangensaft löschen müssen. Also nur Mut! Müürivahe 16

ÜBER NACHT

The Three Sisters

Ein reicher Kaufmann ließ im 14. Jahrhundert für seine drei Töchter drei Häuser errichten. Diese sind jedoch nicht gleich groß, sondern werden schmaler, der Kaufmann hatte sich ganz einfach übernommen – soweit die gern erzählte Legende. Das über 600 Jahre alte Gebäudeensemble wurde 2003 saniert und zu einem Fünf-Sterne-Hotel umgebaut. Dabei wurden die ehemaligen Speicher zu großzügigen Suiten umgestaltet. Auch Queen Elizabeth II übernachtete schon hier.

Pikk 71, www.3s.ee

Hotel Olümpia

Errichtet wurde das Haus für die Segelwettbewerbe der Olympischen Spiele von Moskau 1980, die in Tallinn stattfanden. Bis heute hat es – trotz Modernisierungen – einen gewissen sozialistischen Charme. Großes Plus: Die Zimmer in den oberen Etagen bieten großartige Ausblicke auf den Hafen und die Altstadt.

Liivalaia 33, www.radissonhotels.com

48 STUNDEN IN

Riga

Ballettstar Alise Prudāne steigt gerne auf den Turm der Petrikirche, um die Stadt von oben zu sehen. Die Schöne an der Düna hat für sie den idealen Mix aus Stil und Gemütlichkeit

Alise Prudāne war vier Jahre alt, als ihre Mutter sie in das Opernhaus von Riga mitnahm – auf dem Programm: »Giselle«. Bald darauf fing sie selbst an, tanzen zu lernen. Seit zehn Jahren gehört die 29-Jährige dem Lettischen Nationalballett an und tanzt dort heute als Solistin

Riga ist meine Heimatstadt. Hier bin ich geboren, zur Schule gegangen, und hier habe ich meine Ausbildung an der Schule für Choreografie absolviert. Heute tanze ich im Nationalballett – als Solistin zum Beispiel die Odile in »Schwanensee« oder Nikiya in »La Bayadère«. Ich mag solche dramatischen Figuren.

Auch wenn mein Tanztraining und die Proben körperlich sehr anstrengend sind, bin ich auch in meiner Freizeit oft draußen, um Sport zu machen. Und Riga bietet sich da mit seinen vielen Parks und Wäldchen wirklich gut an. Ich bin ganz in der Nähe des Grīziņkalna Parks aufgewachsen. Im Winter sind meine Freunde und ich dort Schlitten gefahren und haben Schneemänner gebaut. Im Sommer fahre ich gern mit dem Rad durchs Grüne – was hier inzwischen immer mehr Leute machen, denn in den vergangenen Jahren hat die Stadt das Radwegenetz ziemlich gut ausgebaut. Am schönsten radelt oder spaziert

man im Mežaparks (Kaiserwald) am Kisch-See, nördlich des Zentrums.

Für eine entspannte Kaffeepause während der Proben bin ich aber auch gern am Basteiberg und im Wöhrmannschen Garten, die beide nicht weit von der Oper entfernt liegen. In der Natur zu sein, hilft mir sehr, runterzukommen und neue Energie zu tanken. Es ist für mich wie Meditation. Wenn ich auf Reisen bin, vermisse ich immer die Ruhe, die Riga ausstrahlt, und den so angenehm gemächlichen Takt meiner Stadt.

Eine Tänzerin muss natürlich auch essen. Am Wochenende gehe ich mit Vorliebe ins Restaurant Rossini, wo man sehr gute Pizza bekommt, aber auch hausgemachte Pasta. Am besten aber ist das Tiramisu, unschlagbar. Das »Rossini« liegt im Art-nouveau-Viertel mit seinen herrlichen Häuserfassaden. Besonders beeindruckend ist die Albertstraße, benannt nach dem Bischof, der Riga um 1200 gegründet hat. Ich finde aber nicht nur die Jugendstilfassaden

Elegante Hansestadt: Mittelalterliche Giebelhäuser und die markante Spitze des Doms prägen Rigas Altstadt. Von hier spannt sich die Vanšu-Brücke über die Düna in die westlichen Stadtgebiete

Im »Andalūzijas Suns«, übersetzt »Andalusischer Hund«, gibt's nicht nur Tapas, sondern auch Burger, Steaks – und für die Vierbeiner sogar Hundefutter

sehenswert (s. S. 92), sondern bin immer wieder fasziniert von der Architektur in der Altstadt. An vielen Gebäuden und in engen Gassen kann man erahnen, wie Riga im späten Mittelalter ausgesehen hat. Zum Beispiel an der Petrikirche im historischen Zentrum. Der Turm misst 123 Meter. Steigen Sie auf alle Fälle hoch. Von oben hat man eine aufregende Aussicht über die Stadt und ihren Fluss, die Düna.

Nachmittags spaziere ich total gern am Flussufer oder auch an der Ostsee entlang – einfach nur, um auf das Wasser zu schauen. Für einen ungewöhnlich schönen Blick auf Riga geht man am besten auf der Promenade entlang, die gegenüber der Altstadt liegt. Auch der Pier im Stadtteil Mangaļsala zählt zu meinen Lieblingsorten. Mangaļsala ist der Teil von Riga, den man zuerst sieht, wenn man mit dem Schiff von der Ostsee in die Mündung der Düna hineinfährt. Man kann dort über die Mole bis zum Leuchtturm hinauslaufen. Bei Sonnenuntergang herrscht hier eine fast magische Stimmung.

Wenn ich abends frei habe, gehe ich häufiger ins Kino – am schönsten ist der Splendid Palace, der seinen Namen wirklich zu Recht trägt. Es ist eines der ältesten Kinos in Riga und zeigt viele Arthouse-Filme im Original, manchmal werden aber auch Aufführungen aus Opernhäusern wie der Scala oder von den Salzburger Festspielen übertragen. Falls man vorher noch etwas Leckeres essen möchte: Dann ist das Restaurant

Andalūzijas Suns nicht weit. Im »Andalusischen Hund« bekommt man neben prima Tapas wirklich fast alles: Burger, Poké Bowls, Steaks, mexikanische Gerichte, Pasta, Frühstück – und tatsächlich auch Futter für Hunde.

Obwohl ich ja schon so viel Zeit im Herzen der Kultur verbringe – in unserem wunderschönen Opernhaus – brauche ich auch an einem freien Wochenende kulturellen Input. Dafür besuche ich immer wieder die beiden großen Kunstmuseen: die Rigaer Börse und das Nationale Kunstmuseum. Ein echter Geheimtipp ist für mich das Modemuseum, das von Alexandre Vassiliev, einem privaten Sammler, gegründet wurde. Er hat über die Jahrzehnte viele wunderschöne Stücke zusammengetragen: Kleider aus dem 18. Jahrhundert, die aus alten aristokratischen Familien stammen, aber auch Kostüme der Ballets Russes oder Roben berühmter Designer des 20. Jahrhunderts wie Valentino, Gaultier und Versace.

Lange Shoppingtouren sind dagegen nicht so mein Ding. Aber wenn ich doch einmal etwas brauche, besuche ich das Shoppingcenter Galleria in der Innenstadt. Im achten Stock ist auch das Restaurant Herbārijs, das mit seinem Glasdach ein bisschen an ein Gewächshaus erinnert. Von hier oben hat man einen wunderschönen Blick über Riga – vor allem abends, wenn die Lichter der Stadt leuchten. Vielleicht ist das hier der perfekte Ort für Besucher, um sich nach einem Riga-Wochenende von der Stadt zu verabschieden.

Protokoll: Silvia Tyburski

LETTISCHE NATIONALBIBLIOTHEK

Die mit gut 600 000 Einwohnern größte Stadt des Baltikums hat seit 2014 ein neues Wahrzeichen. Der Name, den man dem Bau am Düna-Ufer verliehen hat, sagt alles: »Schloss des Lichts«. Wie ein Gebirge aus Glas ragt die Lettische Nationalbibliothek mit ihren riesigen Fensterfronten in den Himmel – über 40 000 Quadratmeter Fläche, auf denen sich 13 Stockwerke auf fast 70 Meter Höhe erheben. Gehen Sie auch mal rein – Besucher sind willkommen. Mūkusalas iela 3, www.lnb.lv

ADRESSEN

Nationalballett Riga und Oper Aspazijas bulv. 3, www.opera.lv

Grīziņkalna Park Pērnavas iela 54

Restaurant Rossini Dzirnavu iela 31, Eingang: Antonijas iela www.rossini.lv

Petrikirche Reformacijas Laukums 1 https://peterbaznica.riga.lv

Kino Splendid Palace Elizabetes iela 61, www.splendidpalace.lv

Restaurant Andalūzijas Suns Elizabetes iela 83 www.andaluzijassuns.lv

Kunstmuseum Rigaer Börse Doma laukums 6, www.lnmm.lv

Nationales Kunstmuseum Jaņa Rozentāla laukums 1 www.lnmm.lv

Modemuseum Riga Grēcinieku iela 24, fashionmuseumriga.lv

Galleria Riga/Restaurant Herbārijs Dzirnavu iela 67, www.galleriariga.lv

1│ Weites Meer ganz nah: Der Jūrmala-Strand ist keine 20 Kilometer vom Stadtzentrum entfernt 2│ Strahlend weiß und innen
pompös: die Nationaloper, im Vordergrund der von August Volz
geschaffene Nymphenbrunnen 3│ Raus ins Grüne: Im Mežaparks
kann man spazieren, radeln – und schöne Häuser entdecken

Goldverzierter Stuck und ver-
schnörkelte Muster, die wie Eulen
aussehen: Das Treppenhaus in
Rigas Albertstraße 12 schuf der
Architekt Konstantīns Pēkšēns,
der auch in dem Haus wohnte

RIGA

HOCHBURG DES **JUGENDSTILS**

Wer die Elizabetes iela betritt, die Elisabethstraße in Rigas Altstadt, kommt aus dem Staunen nicht heraus: Die Hausfassaden zieren Sphinxe und Medusenköpfe, steinerne Masken, die an Eulen erinnern, Pfauen, die ihr Gefieder spreizen. Man blickt auf Fenster, die von barbusigen Frauen umrankt sind, auf Balkone, deren schmiede-eiserne Geländer wie kunstvolle Blumengirlanden aussehen. Zahlreiche Häuser sind mit verschnörkelten Ornamenten verschönert, mit üppigen Gesimsen und Portalen. Etwa 800 solcher üppig verzierten Bauten schmücken das Zentrum von Lettlands Hauptstadt. Kaum ein Ort auf der Welt wurde stärker vom Jugendstil geprägt, von seinem verspielten, dekorativen Baustil. Riga erlebte um die Wende zum 20. Jahrhundert einen Aufschwung seiner Wirtschaft, die Zahl der Einwohner stieg in kurzer Zeit auf fast eine halbe Million, der Bedarf an neuen Wohnungen war enorm. Und Rigas Architekten wollten nicht nur bauen, sie wollten etwas Neues erschaffen, der Stadt an der Ostsee ein originelles, neues Antlitz verleihen. Eine eigene lettische Architektur entwerfen. Wer die Alberta iela entlangläuft, hat den Eindruck: Sie haben es geschafft. Die schmale Albertstraße gilt als Herzstück des Rigaer Jugendstils. Überall erheben sich überbordende Fassaden, geschmückt mit Frauenköpfen und floralen Mustern, brüllenden Löwen und dämonischen Fratzen. Hier verwirklichten sich Architekten wie Michail Eisenstein, den Kritiker einen »verrückten Zuckerbäcker« nannten, Eižens Laube und Konstantīns Pēkšēns, der allein in Riga mehr als 250 Häuser schuf. Von ihm stammt auch das Eckhaus Nummer 12, 1903 gebaut und berühmt für sein Treppenhaus (Foto): ein asymmetrisches Oval, fantasievoll bemalt. Pēkšēns lebte selbst vier Jahre lang in dem Haus, seine Wohnung ist heute ein Museum. Zu sehen sind Kunstwerke, Geschirr, Uhren und Kleidung in original eingerichteten Zimmern. Ein authentischer Blick in die Zeit von Rigas blühender Jugendstil-Epoche.

Jugendstil-Museum: Alberta iela 12
www.jugendstils.riga.lv

48 STUNDEN IN

Klaipeda

Enge Gassen, Häuser mit Geschichte und die Dane, die mitten durch die Stadt ins Kurische Haff fließt. Klaipeda ist nicht nur eine Augenweide, es klingt auch noch schön – dank Cellist Mindaugas Bačkus

Für mich gibt es zwei Arten von Musikern: einmal solche, die am liebsten an prestigeträchtigen Häusern in New York, Berlin, London oder Paris arbeiten und dort nur noch in die Welt der Kultur eintauchen müssen, die dort bereits auf sie wartet. Und dann gibt es diejenigen, die gern etwas aufbauen. Die bei null anfangen, aber dafür auf eine sehr erfüllende Art die Sinnhaftigkeit ihrer Arbeit erfahren.

Vielleicht lässt sich das auch auf Reisende übertragen: Manche fahren am liebsten in die berühmten Metropolen. Andere entdecken gern Unbekanntes jenseits der ausgetretenen Pfade. Für solche Menschen ist Klaipeda perfekt.

Es ist auch ein guter Ort für mich, weil ich Dinge gern selbst in die Hand nehme. Ich habe hier am Kammerorchester alle künstlerischen Freiheiten, die man sich als Musiker nur wünschen kann. Wir haben zum Beispiel mit der Kompanie für modernen Tanz und einem jungen Mann mit Down-Syndrom das Stück »Mein Peter Pan« über das Erwachsenwerden aufgeführt – das war ein sehr bewegendes Projekt, an das ich mich noch lange erinnern werde.

Aber zurück zur Stadt. Ich selbst wohne nur zwei Minuten zu Fuß vom Konzerthaus entfernt, zusammen mit meiner Frau und unseren drei jüngsten Töchtern (unser Sohn und unsere älteste Tochter sind schon erwachsen). Ich bin ganz verrückt nach der Atmosphäre der Altstadt – vielleicht weil ich selbst im Herzen von Vilnius aufgewachsen bin. Damals gehörte Litauen noch zur Sowjetunion. Obwohl man leider in jener Zeit viele historische Gebäude hat verfallen lassen – hier im Kern von Klaipeda ist die Geschichte noch lebendig: Man ist umgeben von Fachwerk, Kirchen, Kopfsteinpflaster, Häusern mit dicken Steinmauern und kleinen Fenstern. Es ist, als würden diese alten Gemäuer ihre Geschichten erzählen, man meint fast, noch den Rauch der Kohleöfen zu riechen. Ich liebe das.

Am besten beginnt man ein Wochenende in Klaipeda mit einem echten litauischen Frühstück. Im Senoji Hansa in der Nähe des Theaters machen sie gute Omeletts und die bei uns legendären

Mindaugas Bačkus buchte auf seinen Konzertreisen rund um die Welt immer ein Extraticket für sein wertvolles Cello, das auf dem Sitz neben ihm mitflog. Jetzt ist der 47-Jährige angekommen: Er leitet das Kammerorchester im litauischen Klaipeda, 2017 rief er das Cello-Festival ins Leben, zu dem alle zwei Jahre Musiker aus 30 Ländern in die 150 000-Einwohner-Stadt kommen

1+2| Am Horizont die Kurische Nehrung: Der alte Dreimaster mit dem Restaurant »Meridianas« fährt zwar nicht mehr die Dane entlang, beim Essen kann man aber vom Segeln träumen 3| Unter Wasser: Das Litauische Meeresmuseum liegt an der Nordspitze der Nehrung

Die älteste Brauerei des Landes und Strände zum Verlieben

KURISCHE NEHRUNG
Ihr Spitzname: die Ostpreußische Sahara. Zwischen Ostsee und Haff zieht sich der
98 Kilometer lange Landstreifen
von Klaipeda im Norden
bis zum russischen Priboi,
die schmalste Stelle ist keine
400 Meter breit. Gut die
Hälfte des Gebietes gehört zu
Litauen, dort liegen auch die
schönsten Strände – und bei
Nida die eindrucksvollsten
Dünen. Ein Besuchermagnet im
Norden der Nehrung: das
für seinen Unterwassertunnel
berühmte Meeresmuseum.
Klaipeda, Smiltynės g. 3
www.muziejus.lt

Pfannkuchen mit Hüttenkäse. Falls Sie zu diesen Leuten gehören, die sich gesund ernähren und grüne Smoothies und so etwas trinken, ist das Pas Beta etwas für Sie.

Danach empfehle ich eine Führung durch unser Konzerthaus. Es hat eine lange Geschichte, die mit den Schützengilden verknüpft ist. Die Gilde von Klaipeda ließ 1841 an dem Ort, wo heute unser Orchester spielt, ihr Schützenhaus errichten, und bald gab es neben Schießwettbewerben auch Konzerte und Theateraufführungen. 2004 wurde das Gebäude umgebaut und renoviert. Nicht weit weg steht die alte Post mit dem Carillon, das aus 48 Glocken besteht – zusammen wiegen sie mehr als 5000 Kilogramm. Ihre Klangqualität ist einzigartig. Es gibt zwei Spezialisten in Klaipeda, die dieses wunderbare Instrument beherrschen: Kęstutis Kačinskas und Stanislovas Žilevičiu. Manchmal kommen auch Carilloneure aus anderen Ländern, um es zu spielen – das geht übrigens über eine Klaviatur.

Ein besonderes Erlebnis ist es, diesem Glockenspiel vom nahegelegenen Uhrenmuseum aus zuzuhören. Uhrenmuseum klingt jetzt vielleicht erst einmal nicht so aufregend, aber tatsächlich ist es ein Ort, der einen besonderen Zauber hat – Kronleuchter, stuckverzierte Kamine, schwere rote Stoffvorhänge, antike Kommoden und Schreibtische – man bekommt ein Gefühl dafür, wie eine großbürgerliche Wohnung in Klaipeda des 19. Jahrhunderts ausgesehen haben könnte. Früher lebten hier die Familien eines Arztes und eines Bankdirektors.

Bierbrauen ist noch so eine Tradition in Klaipeda. Die Brauerei Švyturys ist die älteste in ganz Litauen – sie wurde Ende des 18. Jahrhunderts gegründet, als Klaipeda noch Memel hieß und die nördlichste deutsche Stadt war. Heute kann man dort im Restaurant Bhouse essen. Ich nehme immer die Yacht-Club-Shrimps und den Makrelen-Dip – als Grundlage für eine Verkostung lokaler Biere. Die schmecken wirklich sehr gut. Eine tolle Location ist auch das Restaurant auf dem alten Segelschiff Meridianas, das im Zentrum am Ufer der Memel liegt. Es wurde in Finnland gebaut und war bis Ende der 1960er Jahre ein Schulschiff der sowjetischen Marine. Das Essen ist okay und ein bisschen überteuert, die Lage am Wasser aber ist super. Wer die litauische Küche besser kennenlernen und außerdem exzellenten Wein trinken will, geht am besten ins Friedricho pasažas. Ich selbst esse übrigens fast jeden Tag im Tabu, im Keller des Konzerthauses. Probieren Sie dort mal das Rib-Sandwich mit Rucola, eingelegten Zwiebeln, Parmesan und Barbecue-Sauce. Meine Tochter Barbora ist süchtig danach.

Und am nächsten Morgen? Für Kaffee und einen Snack gehe ich gern ins Kavos Architektai, ein hübsches kleines Café, das von einer sehr netten Familie betrieben wird. Die Bohnen rösten sie dort selbst, und man bekommt die verschiedensten Spezialitäten, auch zum Mitnehmen. Ein schönes Souvenir. Übrigens: Wer zeitgenössische Kunst mag, kann sich in der Galerie Baroti, gelegen in einem alten Lagerhaus mit Fachwerkfassade, ein besonderes Erinnerungsstück kaufen – ein Werk eines litauischen Künstlers, zum Beispiel des Fotografen Virgilijus Burba, der auch in unserer Stadt lebt. Ein Stück Klaipeda für zu Hause.

Protokoll: Silvia Tyburski

ADRESSEN
Konzerthalle und Kammerorchester Klaipeda Šaulių g. 36
www.koncertusale.lt.
Im Sommer gibt es Open-Air-Konzerte im Park. Das nächste Cello-Festival ist für den 03. bis 08. Mai 2021 geplant.
Bar Senoji Hansa Kurpių g. 1
www.senojihansa.lt
Pas Beta Mažvydo alėja 6
www.facebook.com/sula.baras
Glockenspiel Carillon Liepų g. 16
Gespielt wird samstags und sonntags um 12 Uhr. Auf Anfrage kann das Carillon besichtigt werden. (Tel. + 370 46 39 39 62 justina@koncertusale.lt)
Uhrenmuseum Liepų g. 12
www.ldm.lt/lm
Brauerei Švyturys und Restaurant Bhouse Kūlių Vartų g. 7
www.svyturysbrewery.lt
Restaurant Meridianas
Kairioji Danės krantinė, Kurpių g.
www.restoranasmeridianas.lt
Restaurant Friedricho pasažas
Tiltų g. 26 A, www.pasazas.lt
Restaurant Tabu Šaulių g. 36
www.facebook.com/tabubaras
Kavos Architektai H. Manto g. 9
www.kavosarchitektai.lt
Galerie Baroti Aukštoji g. 12
www.barotigalerija.lt

1 | Bier von nebenan: Nur eine Wand liegt zwischen dem Restaurant »Bhouse« und der zum Haus gehörigen Traditionsbrauerei Švyturys 2 | An den Strand: bei Nida auf der Kurischen Nehrung 3 | Eine Reise durch die Zeit: Sonnenuhren im Hof des Uhrenmuseums

Zwischen den Kulturen: Auf der
Kant-Insel mitten im Zentrum ragt der
Dom in die Höhe, umgeben von
Grün und einem Meer von Platten-
bauten. Im Hintergrund rechts:
die 2018 wiedereröffnete Synagoge

Der Kurs von Kaliningrad

Eine russische Exklave umarmt von Litauen und Polen:
Kaliningrad, vor 1945 als Königsberg östlichste deutsche Großstadt,
ist heute Moskaus Außenposten im Westen.
In dieser Gemengelage sucht die Stadt ihren eigenen Weg

TEXT **SÖNKE KRÜGER**

1

2

3

4

D

Das Haus der Sowjets, auf Russisch Dom Sowjetow, ist ein imposanter Hochhaus-Klotz aus den siebziger Jahren. Eine Bauruine, die nie vollendet wurde und seit Jahrzehnten leer steht. Trotzdem ist sie ein Wahrzeichen ihrer Zeit – genau wie der Dom, der in Sichtweite aufragt, ein frisch restauriertes Schmuckstück der Backsteingotik. Zwischen beiden liegt der Moskowskij Prospekt, eine mehrspurige Schnellstraße. Städtebaulich scheint wenig zusammenzupassen im Zentrum von Kaliningrad, hier begegnen und überlagern sich Nationen, Baustile, Weltanschauungen. Nur selten sind auf so kleinem Raum Wunden und Widersprüche der Geschichte so sicht- und spürbar wie im ehemaligen Königsberg.

Nach dem Ende des Zweiten Weltkriegs wurde aus der östlichsten deutschen Großstadt die westlichste Russlands. Kaliningrad hat gut 400 000 Einwohner und ist die Hauptstadt des gleichnamigen Gebiets, seit dem Zerfall der Sowjetunion liegt sie als Exklave zwischen Polen im Süden und Litauen im Norden und Osten. Keine einfache Lage und keine einfache Geschichte, und doch hat man hier inzwischen ein erstaunlich entspanntes Verhältnis zur eigenen Vergangenheit entwickelt.

Das war längst nicht immer so. Ab dem Frühjahr 1945 wurde alles, was an Königsberg erinnerte, beseitigt. Denkmäler wurden gestürzt, Kirchen zu Lagerhallen umfunktioniert, deutsche Inschriften übermalt. Die Deutschen wurden vertrieben, Russen neu angesiedelt. 1946 ließ Stalin die Stadt umbenennen, nach Michail Kalinin, dem formellen Staatsoberhaupt der UdSSR, der kurz zuvor gestorben war. Das Kaliningrader Gebiet, der Nordteil des alten Ostpreußens, wurde systematisch umgestaltet, mit Kombinaten, Kolchosen und Kasernen. Noch 1968 ließ der Kreml die Ruinen des Königsberger Schlosses,

die damals als »fauler Zahn des preußischen Militarismus« bezeichnet wurden, sprengen. Die wenigen Häuser, Kirchen und Ruinen, die Krieg und Kommunismus überstanden hatten, ließen zwar Erinnerungen an das alte Königsberg aufkommen, darüber zu sprechen, war jedoch jahrzehntelang verboten.

Und heute? Manche Hotels tragen Namen wie »Nesselbeck« oder »Villa Gretchen«, Restaurants heißen »Ritterburg« oder »Kaiser Wurst«. Immanuel Kant, der einst in Königsberg gelebt hat, ist Namenspatron der Universität in Kaliningrad und der lokalen Supermarktkette Kant Market. Und das Königsberger Schloss, 1944 teilweise von Bomben zerstört und 1968 endgültig gesprengt, ist auf Buchdeckeln, Postkarten, Souvenirtellern allgegenwärtig. Viele Neubauten entstehen in einem pseudodeutschen Backsteinstil. Schautafeln und Bildbände feiern die Pracht des alten Königsbergs.

All das wurde erst nach dem Ende der Sowjetunion möglich, ab den neunziger Jahren war die deutsche Geschichte in Kaliningrad kein Tabu mehr – im Gegenteil: Sie wurde als förderlich für den Tourismus entdeckt. Und vor allem die jüngeren Kaliningrader haben mittlerweile eine eigene Identität entwickelt: im Kern russisch, aber offener, was das deutsche Erbe angeht. Auch die regionale Politik geht sehr viel pragmatischer mit dem Thema um als zu Sowjetzeiten, Kaliningrads 34-jähriger Gouverneur Anton Alichanow etwa. Er ist zwar nicht dafür, das Schloss wiederaufzubauen und damit die Leere im historischen Zentrum zu füllen, was in den letzten Jahren immer mal wieder diskutiert wurde. In einem Interview sagte er aber: »Wir müssen das deutsche Erbe, das preußische Erbe, bewahren und für den Tourismus nutzen. Die Region verfügt über 60 Objekte, die

1 | Nach Moskauer Vorbild: die russisch-orthodoxe Christ-Erlöser-Kathedrale am Siegesplatz 2 | Benannt nach einer Wagner-Oper: das Restaurant »Fliegender Holländer« 3 | Erinnert an die sowjetischen Soldaten, die 1945 bei der Eroberung Königsbergs starben: das Denkmal für 1200 Gardisten 4 | Der Pregel fließt mitten durch Kaliningrad, vorbei am neuen Stadtviertel Fischdorf. Was dort wie ein Leuchtturm aussieht, ist ein Restaurant

Vom Torpedoboot zum Erinnerungsort: Das Denkmal für gefallene Seeleute steht am Ufer des Pregels, zwischen der Synagoge und dem Haus der Sowjets

ab dem 13. Jahrhundert gebaut worden sind, diese müssen wieder aktiviert werden.«

Zu diesen Bauten gehört auch der Dom, nach 1945 blieb er als Ruine stehen, es heißt, sie wurde nicht gesprengt, weil sich an der Außenwand des Gebäudes Immanuel Kants Grabmal befindet. Erst ab 1992 wurde der Dom restauriert und sticht nun heraus aus dem Zentrum, sowohl protestantische als auch orthodoxe Gottesdienste finden hier statt. Gegenüber wurde 2018 die wiederaufgebaute Königsberger Synagoge eröffnet – 80 Jahre nach der Pogromnacht, in der der Kuppelbau von den Nationalsozialisten zerstört worden war.

Im Südosten ist sogar ein ganz neues Stadtviertel entstanden. Sein Name: Fischdorf. Seine Anmutung: Leuchtturm-Imitat, Pseudo-Fachwerk, Erker und Türmchen. 2018, als Kaliningrad einer der Austragungsorte der Fußball-Weltmeisterschaft in Russland war, wurden in der Innenstadt sogar Chruschtschowkas, graue Wohnblöcke aus den fünfziger und sechziger Jahren, mit Giebeln und Schnörkeln versehen, die an Lübeck und Danzig erinnern und eine hanseatische Tradition vorgaukeln sollen. Das neue pseudohistorische Stadtbild scheint seine touristische Wirkung nicht zu verfehlen: Vor Corona wurden mehr und mehr Chinesen gesichtet, ebenso Ostsee-Kreuzfahrer auf Landgang.

Nach der Öffnung der Region 1991 hatten sehr viele Deutsche ihre ehemalige Heimat besucht, »Heimwehtouristen«

nannte man sie. Viele hatten alte Fotos und Bücher im Gepäck – und Geschichten von früher. Für die Kaliningrader füllten sie den ausradierten Teil ihrer Historie mit Bildern. Auch manch ein Rezept kam zurück: Königsberger Klopse, bis in die neunziger Jahre vor Ort kaum bekannt, werden heute wieder in vielen Restaurants serviert. Auch »Ostmark«-Bier wird wieder getrunken, die ostpreußische Marke gehört heute allerdings zu Heineken. Doch die Zahl deutscher Besucher sinkt, die meisten gebürtigen Königsberger sind hochbetagt, und bei den Jüngeren ist das Interesse deutlich weniger ausgeprägt.

Und dann ist da noch der Kreml: Moskau achtet sehr genau darauf, dass das Interesse für die deutsche Geschichte in seinem westlichen Vorposten nicht überhandnimmt. 2018 gab es eine Volksabstimmung darüber, nach wem der Kaliningrader Flughafen benannt werden sollte. Vorne lag – wieder mal – Immanuel Kant. Per Dekret des russischen Präsidenten wurde 2019 aber anders entschieden: Zarin Elisabeth ist nun die Namenspatronin. Sie hat vor gut 250 Jahren Krieg gegen Preußen geführt. ■

Sönke Krüger verantwortet die Reiseseiten von »Welt« und »Welt am Sonntag«. Kaliningrad hat er seit 1991 viermal besucht. Seine Mutter wurde dort geboren, als die Stadt noch Königsberg hieß.

Von Kiel bis St. Petersburg.
Baltikum intensiv erleben.

St. Petersburg

nicko cruises

12 Tage Kiel-St. Petersburg-Helsinki-Stockholm-Kiel
24.06.–05.07.2021 • 05.07.–16.07.2021
31.05.–11.06.2022 • 25.06.–06.07.2022 • 06.07.–17.07.2022 • 17.07.–28.07.2022

Erleben Sie das Flair der unterschiedlichen Hafenstädte rund um die Ostsee. Das lettische Riga und das estländische Tallinn begrüßen mit schönster Ostsee-Architektur. In St. Petersburg erleben Sie Pracht und Prunk der ehemaligen Zarenstadt. Erkunden Sie die gemütliche Hauptstadt Finnlands, Helsinki, bevor es durch die Schärenlandschaft weitergeht in die vibrierende Metropole Stockholm. In Polen beeindruckt die vielfältige Stadt Danzig mit ihrer imposanten deutschen Baukunst. Eine wundervolle Entdeckungsreise.

Inklusivleistungen: • **12 Tage All-Inclusive-Kreuzfahrt** in einer Außenkabine (Getränkepaket Classic mit großer Auswahl geschenkt) • nicko cruises Vollpension • nicko cruises Kreuzfahrtleitung und deutschsprachige örtliche Reiseleitung • Deutschsprachiger Service an Bord • Komfortables Sennheiser Audio-System bei allen Ausflügen • Unterhaltungsprogramm und landeskundliche Vorträge

Zubuchbare Leistungen: • An- und Abreisepaket Bahn inkl. Transfers: tagesaktuelle Preise auf Anfrage • Ausflugspaket mit 5 Ausflügen: Termine 2021 259 € p. P. / Termine 2022 269 € p. P. • Getränkepaket Premium: Aufpreis 220 € p. P.

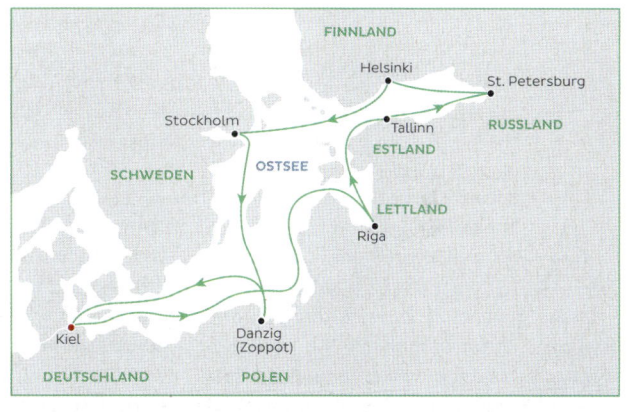

FINNLAND · Helsinki · St. Petersburg · Stockholm · Tallinn · RUSSLAND · SCHWEDEN · OSTSEE · ESTLAND · LETTLAND · Riga · Kiel · Danzig (Zoppot) · DEUTSCHLAND · POLEN

Ihr Schiff: WORLD VOYAGER ≋≋≋≋
Neubau 2020 für maximal 200 Gäste

Infinity Kabine mit absenkbarer Panoramafront

All-Inclusive-Preise p. P. in Euro bis 31.01.2021

Kabinenkategorie	Aktionscode: MEDEC1KPK-WVO
Expeditions-Kabine mit kleinen Fenstern, ca. 17 m²	4.099
Infinity Kabine mit absenkbarer Panoramafront, ca. 25 m²	ab 5.299
Veranda Kabine mit Privatbalkon, ca. 25 m²	ab 5.749

* Weitere Kabinenkategorien und Suiten verfügbar. Alleinbenutzung auf Anfrage. Begrenztes Kontingent.

48 STUNDEN IN

Danzig

Für Chefkoch Wojciech Korfel ist die Hafenstadt das ideale Zuhause: weltläufig dank hervorragender Museen und Restaurants und gemütlich dank einer der schönsten Altstädte Europas

Wojciech Korfel ist Chefkoch im Danziger Restaurant »Prologue«. 2019 wurde der 35-Jährige, der aus der Kleinstadt Bukowno im Süden Polens stammt, mit dem Prix au Chef de l'Avenir für talentierte Newcomer der Gastroszene ausgezeichnet

Als Koch bin ich viel in der Welt herumgekommen. Zehn Jahre habe ich in Großbritannien und Irland gearbeitet, neun Monate in Melbourne. Aber es hat bis 2017 gedauert, bis ich das erste Mal in meinem Leben nach Danzig fuhr – ich selbst komme aus Bukowno, einer Kleinstadt im Süden von Polen. Der Grund war mein Vorstellungsgespräch im Restaurant Prologue, wo ich jetzt als Chefkoch arbeite. Ich war so auf das Gespräch fokussiert, dass ich anfangs überhaupt nicht darauf achtete, wie schön die Altstadt ist, in der auch das Restaurant liegt. Im »Prologue« zum Beispiel sind noch Mauern einer alten Festung aus dem 8. Jahrhundert erhalten.

An diesem Tag verliebte ich mich in Danzig. Mit ihren rund 500 000 Einwohnern hat die Stadt für mich nicht nur eine ideale Größe – sie hat alles, was eine Stadt braucht: hervorragende Museen, den Hafen, eine große Auswahl an Geschäften – und, ganz wichtig: Man ist schnell am Strand.

Manchmal wünschte ich, ich hätte mehr Zeit, um all das auszukosten. Mein Arbeitstag fängt meist um neun Uhr morgens an und endet gegen ein Uhr nachts. Und natürlich stehe ich vor allem am Wochenende in der Küche, aber das gehört nun mal dazu. Hätte ich frei, würde ich zuerst einmal am späten Vormittag in einem meiner Lieblingsbistros, dem Avocado, frühstücken oder gleich Mittagessen. Eine meiner Kindheitserinnerungen ist ein einfaches polnisches Gericht, das meine Mutter immer gemacht hat: Kartoffeln mit Dill, paniertes Kotelett und ein mit Crème fraîche angemachter Gurkensalat. Im »Avocado« machen sie eine vegane Version von Kotelett. Die Vorstellung fand ich zuerst ein bisschen lustig, aber immer, wenn ich es dort esse, ist es, als säße ich wieder in der Küche meiner Mutter.

Lieblingsgerichte sind oft eng mit Emotionen verbunden, das sehe ich auch bei meinen Gästen. Ich habe schon mehrmals versucht, unsere Donuts mit Savoury Gruyère und Raclettekäse durch ein neues Gericht auszutauschen. Aber dann fragen die Gäste so lange danach, bis wir sie doch wieder auf die Karte setzen.

Danzigs Ausrufezeichen: Mächtig ragt die Marienkirche aus der Giebelparade der Altstadt. Mit einer Länge von 105 Metern, einer Breite von 66 Metern und dem 78 Meter hohen Turm zählt sie zu den größten Backsteinbauten Europas

Rauer Stein, feine Küche: das Restaurant »Prologue« liegt am Ufer der Mottlau in einem der ältesten Gebäude der Stadt

Wenn ich frei habe, verbringe ich vor allem Zeit mit meiner Familie. Mit meinem Sohn und meiner Frau Justyna miete ich gerne ein Boot, wir fahren dann die Mottlau entlang, um uns die Werften mit den großen Schiffen am Hafen anzuschauen. Mein Sohn liebt das, wie auch das Amber Sky, das Riesenrad auf der Speicherinsel. Wenn man ganz oben ist, hat man einen fantastischen Blick auf die Danziger Altstadt.

Als Gastronom interessiert mich natürlich, was die Kollegen so kochen. An einem freien Abend gehe ich gern in das Piroman Steak House. Ich mag die entspannte Atmosphäre dort, und sie machen großartige Steaks und Burger. Es liegt in Sopot, nur neun Kilometer westlich der Danziger Innenstadt, mit einem Taxi ist man schnell dort. Auch das Biały Królik in Gdynia lohnt einen kleinen Ausflug: Rafał Koziorzemski kocht nicht nur genial, er verwendet auch Zutaten von Höfen aus der Umgebung. In Danzig selbst mag ich das Arco von Paco Pérez, gelegen im 33. Stock des Olivia-Star-Hochhauses – die Aussicht reicht über die gesamte Dreistadt, also bis nach Sopot und Gdynia. Das Restaurant von Basia Ritz ist auch spannend. Basia ist Moderatorin einer erfolgreichen Kochshow im polnischen Fernsehen und Foodbloggerin. Ihr eigenes Restaurant hat sie seit 2014. Wie ich legt sie viel Wert auf saisonale Zutaten, deshalb gibt es dort keine feste Karte. Ihr Basia Ritz liegt direkt neben der Baltischen Philharmonie auf der Bleihofinsel – perfekt, wenn man ein Konzert besuchen möchte.

Gut essen und Musik hören ist für mich die ideale Kombination für einen freien Samstagabend. Ich mag sowohl Klassik als auch elektronische Musik und gehe – in normalen Zeiten – zum Tanzen oder auf ein Craft-Bier gern ins Elektryków an der Kaiserlichen Werft. Der Club liegt in einer alten Lagerhalle, mit hohen Decken und Paletten zum Sitzen, drumherum die riesigen Kräne – eine besondere Atmosphäre. Man kann sich auch draußen auf Strandliegen lümmeln und an einem Foodtruck gutes Streetfood holen. Hier spüre ich immer, wie multinational Danzig ist und wie weltoffen und freundlich die Menschen sind.

Das Frühstück ist meine liebste Mahlzeit, weil ich es mit Franek und Justyna verbringen kann; bei uns zu Hause kocht übrigens meine Frau. Wenn wir mal auswärts brunchen, dann gerne in der Łąka Bar südlich der Speicherinsel. Danzig hat auch ein prima Radwegenetz, toll für Ausflüge. Unser Kleiner hat gerade das Radfahren gelernt, aber bei längeren Strecken nehme ich ihn hinten auf den Kindersitz – ein gutes Workout. Vom Viertel Brzeźno (Brösen) aus, einem der ersten Seebäder in der Danziger Bucht, führt ein Radweg an der Ostsee entlang bis nach Gdynia. Brzeźno hat einen schönen Strand und ist ruhiger als das quirlige Sopot. Von hier aus kann man zu Fuß das Denkmal an der Westerplatte erreichen, das an den Beginn des Zweiten Weltkriegs erinnert. Wenn mein Sohn größer ist, werde ich mit ihm dorthin gehen und ihm das Museum des Zweiten Weltkriegs zeigen. Und auch das Centrum Solidarności: Schließlich hat mit der Gewerkschaftsbewegung das freiheitliche Polen seinen Anfang genommen. Hätte es sie nicht gegeben, wäre ich wohl nicht in der Welt herumgereist und hätte nicht diesen wunderbaren Job in dieser wunderbaren Stadt. *Protokoll: Silvia Tyburski* ▪

DER KLASSIKER

Das Krantor (Żuraw) am Hafenkai steht wie kein anderes Bauwerk für Danzigs Geschichte als blühende Hafen- und Hansestadt. 1444 entstand der gigantische hölzerne Kran, der eine Last von vier Tonnen bis zu elf Meter anheben konnte. Im Mittelalter galt das als unübertrefflich. Das Hebewerk ist zugleich befestigtes Stadttor mit mächtigen Ziegeltürmen, in denen heute Teile des großen und gut gemachten Nationalen Maritimen Museums untergebracht sind.
Szeroka 67/68

ADRESSEN

Restaurant Prologue Grodzka 9 www.prologuerestaurant.com
Bistro Avocado Wajdeloty 25, www. facebook.com/avocadoveganbistro
Riesenrad Amber Sky Ołowianka 1, www.ambersky.pl
Piroman Steak House Sopot Aleja Niepodległości 684, https:// steak-house-piroman.business.site
Biały Królik im Hotel »Quadrille« Gdynia, Ulica Folwarczna 2 www.quadrille.pl/bialy-krolik
Arco Aleja Grunwaldzka 472 C www.oliviastar.pl
Basia Ritz Szafarnia 6 www.restauracja-ritz.pl
Elektryków Ulica Elektryków www.facebook.com/ulicaelektrykow
Łąka Bar Łąkowa 35/38 https://lakahappybar.business.site/
Museum des Zweiten Weltkriegs plac Władysława Bartoszewskiego 1 www.muzeum1939.pl
Europejskie Centrum Solidarności Plac Solidarności 1, www.ecs.gda.pl

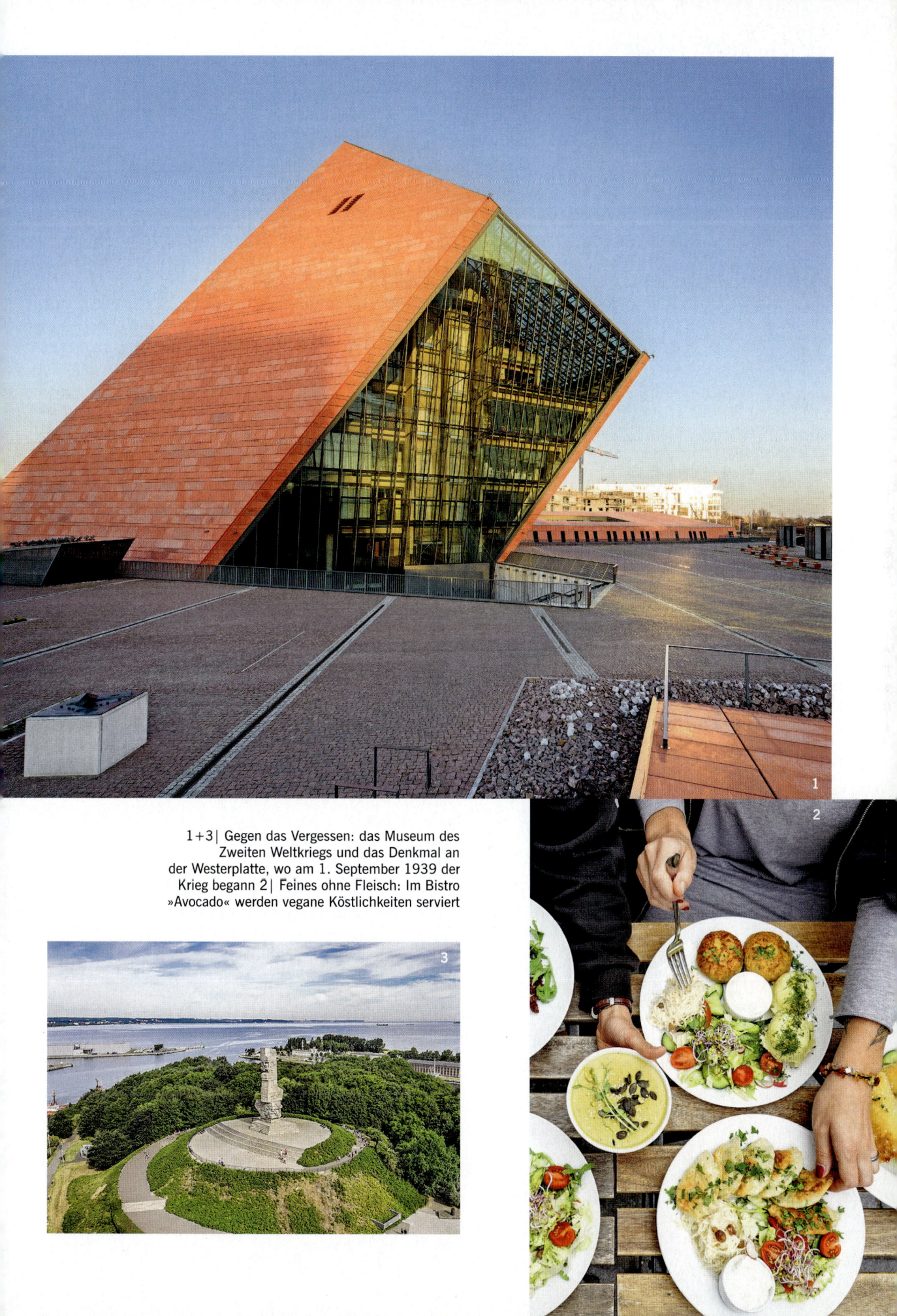

1+3| Gegen das Vergessen: das Museum des Zweiten Weltkriegs und das Denkmal an der Westerplatte, wo am 1. September 1939 der Krieg begann 2| Feines ohne Fleisch: Im Bistro »Avocado« werden vegane Köstlichkeiten serviert

Die frühen Herren der Marienburg: In Bronze gegossen stehen die Hochmeister des Deutschen Ordens im Hof des Mittelschlosses. Die Burg, die knapp 150 Jahre ihr Stützpunkt war, gehört noch heute zu den größten Backsteinbauten Europas

POMMERN

MARIENBURG: RITTER-MACHT IM MITTELALTER

Rund 50 Kilometer südöstlich von Danzig, dort, wo der Fluss Nogat einen malerischen Schlenker vollführt, erhebt sich seit rund 700 Jahren die Marienburg. Ein Meisterwerk gotischer Baukunst, errichtet aus Millionen von Mauerziegeln, etwa 20 Hektar groß. Ihr Bau beginnt um das Jahr 1280, nach und nach entstehen Vor-, Mittel- und Hochschloss, es gibt Werkstätten, Ställe und Scheunen, eine Brauerei. Architektonischer Höhepunkt aber ist der Hochmeisterpalast mit seinem »Großen Remter«, einem Saal, der 400 Gästen Platz bietet und sogar über eine Fußbodenheizung verfügt. Großartig sind auch Sommer- und Winterremter, bei beiden Räumen ruht das mächtige Gewölbe allein auf einem einzigen schlanken Pfeiler, ein Novum für die damalige Zeit. Die gigantische Marienburg ist die Heimstatt der Ritter des Deutschen Ordens, die Konrad I. von Masowien um 1230 in sein Reich holte. Ihr Auftrag: die Grenzen sichern und das Christentum unter die heidnischen Stämme tragen. Die Deutschritter ziehen mehrmals gegen Litauen in den Krieg und vernichten die Pruzzen, eine jahrhundertealte Kultur. 1410 stürzen sie sich gegen die polnisch-litauischen Truppen in eine der größten Schlachten des Mittelalters. Das Gemetzel endet mit der Niederlage des Deutschen Ordens. Konflikte mit den preußischen Ständen, später dann die Reformation besiegeln seinen Zerfall. In der Marienburg wechseln sich nun die Herren ab: Polnische Könige leben hier, die Schweden besetzen sie, und – nach der Teilung Polens 1772 – ziehen die Preußen ein. Über Jahrhunderte wird die Burg umgebaut und erweitert, dient als Weberei oder Schießübungsplatz. Beinahe wird sie sogar abgerissen, als Preußens Militär Baumaterial für eine Kaserne braucht. Die Burg verfällt, erst nach 1800 wird sie wiederhergestellt, ist sogar Residenz des deutschen Kaisers. Nach dem Zweiten Weltkrieg beginnt 1961 der zweite Wiederaufbau, seit 1997 ist die Marienburg Weltkulturerbe der UNESCO.

Malbork, www.zamek.malbork.pl

Neues LEBEN

GUT HASSELBURG

Bis ins Spätmittelalter reicht die Geschichte des
»Kultur Guts Hasselburg« in Ostholstein zurück. Heute
ist das prächtige Herrenhaus-Ensemble mit Ehrenhof,
Paradetreppe und imposantem Barocksaal ein Ort, der
für Musik- und Kulturerlebnisse steht. In 16 Ferienwohnungen und elf Gästezimmern trifft eine klare Linie
moderner Einrichtung auf alte Bausubstanz.
www.hasselburg.de

in alten MAUERN

Auf 12 000 bis 17 000 wird die Anzahl der
Guts- und Herrenhäuser in der Ostseeregion
geschätzt. Viele verkümmern, aber einige werden
touristisch, kulturell oder privat genutzt.
MERIAN stellt besondere Häuser vor

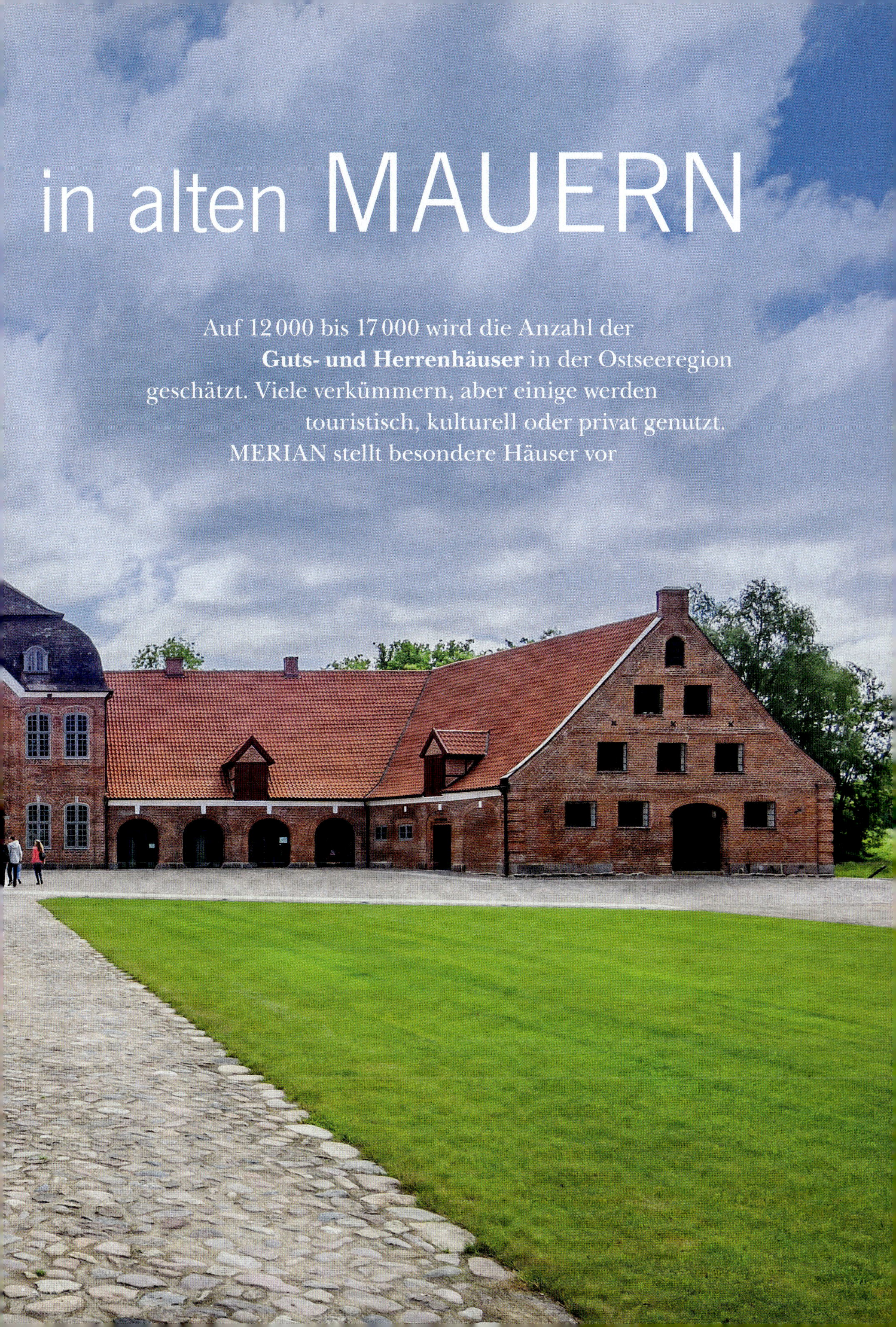

SCHLOSS SPYKER

Auf der Insel Rügen, zwischen Ostsee und Jasmunder Bodden
gelegen, ist das Schloss Spyker ein naturnaher historischer
Ort, der mit frühbarocken Stuckdecken in der Beletage aufwartet.
Das Haus mit schwedischer Vergangenheit und markant
schwedischer Farbe, dem Falunrot, wird als Hotel genutzt und
beherbergt neben Gästen allerhand Kunst aus
dem 19. bis 21. Jahrhundert. *www.schloss-spyker.de*

GUT EMKENDORF

Konzerte und Hochzeiten im Gartensaal (Foto oben), Themen-
märkte auf dem Gelände: Gut Emkendorf ist ein belebtes und in
der schleswig-holsteinischen Historie bedeutendes Anwesen.
Einst als »Weimar des Nordens« bekannt, waren hier Literaten wie
Friedrich Gottlieb Klopstock und Matthias Claudius zu Gast, die
zum »Emkendorfer Kreis« zählten. *www.gutemkendorf.de*

GUTSHOF HESSENBURG

Das Interieur des Gutshofs Hessenburg in Nordvorpommern verbindet modernen Komfort und historischen Charme mit gusseisernen Öfen, antiken Möbeln und unverputzten Backsteinwänden. Im »Kranich Museum« wird zeitgenössische Kunst ausgestellt. Gastkünstler setzen sich mit dem Ort auseinander, Kunst wird zwischen Hotelzimmern und Museum erlebbar. *www.kranichhotel.de*

WASSERSCHLOSS MELLENTHIN

Auf einer künstlichen Insel im geografischen Herzen von Usedom liegt dieses Kleinod. Seinen Namen hat das ab 1575 errichtete Bauwerk von der slawischen Bezeichnung für Mittelpunkt. Besucher können im Westflügel übernachten. In der ehemaligen Hofkapelle gibt es eine Kaffeerösterei. Und im rechten Seitenflügel des Schlosses wird Bier gebraut. *www.wasserschloss-mellenthin.de*

Der Charme des Unfertigen: Rohes
Mauerwerk trifft auf feines Tuch und güldene
Kronleuchter. Seit zehn Jahren renoviert
Robert Uhde, vorsichtig und geschmackvoll

Große TRÄUME,
unfertige RÄUME

Das **Herrenhaus Vogelsang** ist ein Findelkind
am Rande der Mecklenburgischen Schweiz. Es steht
exemplarisch für Gutshäuser, in denen moderne
Raumpioniere Regionalgeschichte weiterschreiben

TEXT **ANDREA C. BAYER**

Zugewuchert, verfallen, keineswegs bewohnbar. So beschreibt Dr. Robert Uhde den Zustand, in dem er das Herrenhaus Vogelsang übernahm. Durch einen schattigen Laubengang führt mich der hochgewachsene Mann im groben Wollpullover an dem einst verputzten Backsteingebäude vorbei: Hier im Park stehend, hat er sich 2010 verliebt. In ein im Tudorstil erbautes Ensemble mit Zinnen und Türmchen und spitzbogigen Fenstern. In ein Haus mit Schwammbefall, ohne Decken, ohne Böden. Dafür mit Denkmalschutz auf dem gesamten Anwesen.

In den 1840er Jahren errichtet, ab 1884 von der Reeder- und Kaufmannsfamilie Hünicken als Wohn- und Lebensraum genutzt, 1945 von der Roten Armee übernommen, danach als volkseigenes Gut geführt, ab 1988 verwahrlost und obendrein seiner Innereien beraubt – Vogelsang ist ein Findelkind, für das Beschreibungen wie »morbider Charme« und »Liebhaberobjekt« nicht ausreichen. Wenn man über knarzende Holzstufen ins Obergeschoss spaziert und durch spinnenbewebte Fenster hinaus in den schleierwarmen Herbsthimmel blickt, kann man nicht so schnell einordnen, was man da sieht: Stuckrelikte, die Decken schmücken sollten, liegen neben Sofabeinen. Decken, die dem Raum darüber Bo-

den sein sollten, fehlen. Ich blicke in Löcher, nach unten und nach oben. Wie Wunden klaffen sie auf. Das Findelkind ist gezeichnet. Sehr.

Und dann ist da taubenblau-beigefarbener Samt, der prunkvolle Sessel ziert. Im Foyer ein knisterndes Feuer im Kamin, das zum Bleiben einlädt. Stühle unterschiedlicher Generationen, die im Ballsaal auf ihren nächsten Einsatz warten. Beim barocken Tafeldinner, bei einer Hochzeit oder am Abend, wenn die Töchter von Isabel und Robert Uhde für eine Nacht in die herrschaftlichen Mauern einziehen. Dann spürt man das Leben, das Vergangenheit und Gegenwart verbindet. Man spürt die Hoffnung auf noch viel mehr Leben und gleichzeitig den sanften Umgang mit diesem Findelkind, dem auch nicht zu viel auf einmal zugemutet werden darf und kann.

Schritt für Schritt geht es seit der ersten Notsanierung 2011/2012 voran. Etwa durch kreative Crowdfunding-Ansätze und Gemeinschaftsarbeit. Die ist den Uhdes wichtig: »Wir haben von Anfang an Wert auf gute Beziehungen zu unserer Nachbarschaft gelegt.« Schließlich waren die Gutshäuser traditionell die Mittelpunkte dörflicher Struktur. Gleich im ersten Jahr lud Robert Uhde zum Weihnachtskaffee ein. Die Dorf-Nachbarn helfen mit auf dem Gut, Kinder und Jugendliche kommen zum Reiten vorbei.

Im Februar 2011 hat Robert Uhde das erste Mal in seinem Neuerwerb übernachtet. Bei minus zehn Grad, mit Schneewehen im Nebenraum und Überlegungen, die einem bei diesem Setting fast ein wenig absurd vorkommen: »Du fängst an, dich gedanklich einzu-

Das Ehepaar Uhde auf der Treppe des Herrenhauses Vogelsang, noch wohnen sie im Marstall

richten.« So soll der Westflügel einmal zum Wohnbereich werden. Mit einem mannshohen offenen Kamin. Davon träumt Robert Uhde. Noch allerdings wohnt er mit seiner Familie nebenan, im Marstall. Für diesen »Industriekörper mit Pferden im Bauch« gibt es zudem konkrete Pläne für einen Co-Working-Space. Auf Zeit zusammenleben, -arbeiten, abends an einer großen Tafel speisen – das ist nicht nur ein Trend zwischen Metropole und Land, sondern auch eine Nutzung, die Menschen verbindet und Regional- und Kulturgeschichte sichtbar macht.

Der weit gereiste Robert Uhde bezeichnet sich selbst als »extremes Heimatkind und stoischen Mecklenburger«. Er ist Rostocker in siebter Generation, von Haus aus Arzt und jemand, der sich schon immer sehr mit der Landschaft seiner Kindheit identifiziert und beschäftigt hat. Er betreibt eine Veranstaltungsagentur und etabliert Projekte wie das Kulturerbe-Festival »MittsommerRemise«. Seit 2008 öffnen Guts- und Herrenhäuser an einem Wochenende im Juni ihre Pforten. Kunstausstellungen und Verköstigungen, Konzerte und Führungen zu Sanierungs- und Renovierungskonzepten stehen auf dem Programm. 2020 wurde das Format mit dem ADAC-Tourismuspreis des Landes Mecklenburg-Vorpommern gewürdigt.

Ein Findelkind wie Vogelsang ist eine monetär teure Liebe. Eine, die andere Lieben tötet und Entscheidungen erzwingt: Die ehemalige Liebste hat sich 2012 gegen das gemeinsame Projekt entschieden und Robert Uhde schließlich dazu, sein Rostocker Stadthaus zugunsten von Vogelsang aufzugeben. »Mit diesem Schritt wurde es so richtig real; das war ein schwerer Moment«, stellt er fest. In genau solchen Augenblicken merkt man ihm an, wie viel eigene Geschichte bereits in diesem Haus steckt. Die erste größere Veranstaltung war 2013 die goldene Hochzeit seiner Eltern. Von seiner Mutter, die »sich hier richtig wohlgefühlt hat« und 2015 leider schon verstarb, und dem Vater, der »Gärtner und Hausmeister zugleich ist«. Dankbarkeit, Wertschätzung, Liebe. Während Robert Uhde direkt hinterherschiebt: »So ein Haus kann aber auch irrsinnig kalt sein.«

»Natur und Landschaft. Das ist ein Kommen und Gehen. Es ist Leben und Sterben, und du bist mittendrin.« Robert Uhde bringt Wärme und Kälte immer wieder in einem Satz unter, wenn er das Leben auf und mit dem Gut in Worte packt. Ist das Spiel mit Gegensätzen Synonym für diese neue Generation der herrschaftlichen Raumpioniere? Der Kunsthistoriker Professor Kilian Heck von der Univer-

sität Greifswald bestätigt diese Vermutung: »Man trifft bei den Gutsleuten heute oftmals auf interessante Kontraste. Da ist die Arbeit am direkten Objekt, die prägt. Und da sind Zäsuren in Bauwerken und in Lebenswegen.«

Auf Gut Vogelsang ist der dritte Bauabschnitt geschafft. Das Dach ist dicht. Über 39 Stufen und durch eine Luke hindurch ist es sogar zu erklimmen. Zinnen, Kronen, Sichtachsen, der Aufgang zum Haus – wer Uhdes Schilderungen folgt und das Gesehene über die Bilder legt, die den Zustand im Jahr 2010 dokumentieren, der kann nur anerkennend feststellen: Es ist schon viel passiert.

Vogelsang ist unterdes eine besondere Mischung aus privat und öffentlich geblieben. Die Pforten zum Herrenhaus sind üblicherweise verschlossen, denn »das Gelände ist sehr privat«. Es ist ein Ort für besondere Erlebnisse. Ein Ort, der nicht inflationär bespielt und besucht wird, sondern einer, an dem Menschen bewusst zusammenkommen, um bei rauschenden Festen und launigen Veranstaltungen in Fantastisches und Skurriles, in Prunk, Steampunk und englische Neogotik einzutauchen. An dem es, so der Hausherr verheißungsvoll schmunzelnd, »beim barocken Tafelmahl an vollgepackten Tischen im Kerzenschein und in dem maroden Gebäude daneben ein bisschen überdreht zugeht«. Und im nächsten Moment wieder ganz leise.

Wir blicken hinunter auf die mächtige Amerikanische Roteiche und die üppig tragende Esskastanie, auf die geschwungene Treppe und die Terrasse darüber. Eine hölzerne Schaukel baumelt im Wind. Weiße Lampions zittern im Herbstgrün der Bäume, wie Zeugen des vergangenen Sommers. Ein Sommer mit glücklichen Hochzeitsgästen und dem bunten Treiben von Künstlern, die den Garten und die Gemäuer regelmäßig bespielen. Varieté, Pferdeveranstaltungen und Kleinkunst sollen auch künftig ihren Platz auf Vogelsang haben. Es soll ein Ort bleiben, an dem die Fantasie das Regime übernehmen darf und Märchenwelten im Unfertigen erlebbar werden. Mehrmals spricht Robert Uhde von »Alice im Wunderland«, von weißen Kaninchen und Momenten, die einem Schauer über den Rücken jagen.

Vogelsang mag ein Findelkind sein. Doch es ist eines, das toben darf und seine Narben mit Würde trägt. Das seinen Geist und seine Geister behalten darf und dessen Spielwiese die Klaviatur der Kontraste ist. ∎

VOGELSANG UND »BALTIC MANORS«

Guts- und Herrenhäuser sind Zeugen einer europäischen Kulturlandschaft im gesamten Ostseeraum. Sie erzählen Landes- und Baugeschichte und von kultureller, politischer und gesellschaftlicher Entwicklung. Erlebbar wird diese Geschichte beispielsweise durch das EU-Projekt »Baltic Manors«. In dieser Vereinigung haben sich Regionen an der südlichen Ostsee zusammengeschlossen, um in Veranstaltungen wie einer länderübergreifenden Ausstellung und einem Festival Herrenhäuser zugänglich zu machen. Der Vorläufer dieses internationalen Festivals ist die alljährlich im Juni stattfindende »MittsommerRemise« in Mecklenburg-Vorpommern. Gutshäuser und Schlösser entlang der Küste und im weitläufigen, von Alleen geprägten Hinterland laden dann dazu ein, erkundet zu werden. Auch das Herrenhaus Vogelsang ist traditionell dabei, mit Musik, Reitshows, Kunst und Familienprogramm.
www.baltic-manors.eu
www.mittsommer-remise.de
www.herrenhaus-vogelsang.de

Lieblingsreviere an der deutschen Ostseeküste

Viel Natur, Lübecks neueste Attraktion, bei den Wikingern an der Schlei, Seebäder und die sehenswerten Welterbestädte Wismar und Stralsund

Flaniermeile Priwall: Travemündes neue Waterfront

Wer vom Travemünder Festland mit der Personenfähre auf Höhe der Lotsenzentrale zum Priwall übersetzte, landete lange Zeit in der unberührten Natur der Pötenitzer Wiek. Von dort hatte er die Wahl, zur benachbarten Dünenlandschaft oder zu seinem Wohnwagen auf dem Campingplatz zu laufen. Noch davor war der Priwall ein Ort der deutschen Teilung: Von 1961 bis 1990 badeten Touristen am westdeutschen Ostseestrand. Gegen-

über wurden Fluchtversuche von DDR-Bürgern gewaltsam unterbunden. Im Frühjahr 2020 ist nun ein gänzlich neues Kapitel für die Halbinsel an der Travemündung aufgeschlagen worden: Die neue »Waterfront« bietet Besuchern eine 600 Meter lange Promenade, eine schicke Marina, ein knappes Dutzend Cafés, Imbisse und Restaurants sowie zahlreiche Läden für Shoppingerlebnisse. Mit der »Ostseestation« entstand eine

sehenswerte Kombination aus Aquarium und Museum. Unterkünfte finden Reisende in der »Beach Bay«, wahlweise »Passat-« oder »Dünenvillen« (beachbay.de). Warum Passat? An der Uferpromenade des Priwalls liegt Travemündes schwimmendes Wahrzeichen, die Viermastbark »Passat«. Nach 39 Kap-Hoorn-Umsegelungen und Tausenden Seemeilen ging sie hier in den Ruhestand.
www.travemünde-tourismus.de

St. Nikolai ist die älteste Kirche der UNESCO-Welterbestadt Stralsund

Weiße Fassaden wie hier im Seebad Bansin sind charakteristisch für die Bäderarchitektur

Naturschauspiel

Gleich drei Nationalparks gibt es in Mecklenburg-Vorpommern: Jasmund, Müritz und die Vorpommersche Boddenlandschaft. Ein besonderes Erlebnis: Kranichbeobachtung im Frühjahr oder Herbst!

www.auf-nach-mv.de/nationalparks

Wikinger-Welterbe

Um 1000 war die Festung Haithabu am Haddebyer Moor eine Anlage zur Verteidigung der Wikinger gegen die Feldzüge von Feinden. Zugleich entwickelte sich das Dorf zum bedeutenden Handelsplatz im Norden Europas. Im Museum sowie den sieben rekonstruierten Häusern sieht und erlebt man, wie die Wikinger im Mittelalter lebten. Die UNESCO hat Haithabu im Jahr 2018 zum Welterbe ernannt.

https://haithabu.de

Von Wismar bis nach Usedom: Architektur zum Staunen

Glanzvoller Stilmix

Sie tragen geschnitzte Giebel und kleine Türmchen und werden von mal floralen und mal maritimen Schmuckelementen geziert: Seit dem späten 18. Jahrhundert prägen Bauwerke im Stil der Bäderarchitektur das Bild der östlichen deutschen Ostseeküste. Von Deutschlands ältestem Seebad Heiligendamm aus setzte sich diese einzigartige Mischung aus Elementen verschiedener Epochen durch. Ob auf Usedom oder auf Rügen, der von der Fläche her größten und bevölkerungsreichsten Insel Deutschlands: Wer die Promenaden entlangflaniert, hat allerhand zu entdecken und zu bestaunen. Auch Einflüsse aus dem Alpenraum und aus der russischen Holzhaustradition sind erkennbar. Auf Rügen lohnt ein Abstecher auf die Seebrücke von Binz. Von hier aus genießt man einen fantastischen Blick auf das imposante Kurhaus, welches als Paradebeispiel für die mondäne Bäderarchitektur gilt. Auf Usedom stehen mehr als 520 Bäderstil-Gebäude unter Denkmalschutz. Eine rund

zwölf Kilometer lange Promenade verbindet hier die Kaiserbäder Bansin, Heringsdorf und Ahlbeck und führt weiter bis ins polnische Swinemünde.

Gewichtiges Erbe

Noch mehr erlebbare Architekturgeschichte gibt es in Wismar und Stralsund. Seit 2002 stehen die Städte auf der UNESCO-Welterbeliste. Beide waren Impulsgeber für die Entwicklung und die Verbreitung der Backsteingotik, auf die man beim Altstadtbummel neben barocken Bauten und farbenfrohen Bürgerhäusern stößt. Ihre Rolle als Hansestädte, ihre nahezu unveränderte Grundrissstruktur und ihre Geschichte als Seehandelsstädte nach Lübischem Recht machen Wismar und Stralsund zu spannenden Zeugen wechselvoller Ostseehistorie. So hat auch die rund 200-jährige Zeit der schwedischen Herrschaft bis heute ihren festen Platz im Veranstaltungsprogramm beider Städte.

www.wismar.m-vp.de
www.stralsund.m-vp.de
www.auf-nach-mv.de/baederarchitektur

Ein Meer der weißen Wunder

Die Ostsee erinnerte unseren Kolumnisten früher
an einen Ost-Krimi: dunkel und grau. Bis er ihre hellen
Seiten entdeckte – die lichten Nächte an der Newa,
Rügens Kreideküste und Schleswig-Holstein im Schnee

TEXT **HANS ZIPPERT**
ILLUSTRATIONEN **P. M. HOFFMANN**

Als die Ostdeutschen noch einen eigenen Staat mit eigenem Geld hatten, besaßen sie natürlich auch ein eigenes Meer, die Ostsee. Es handelte sich um einen eher unspektakulären Ozean, ohne ernstzunehmende Gezeiten. Weil die Brandung spärlich ausfiel, nannte man die Ostsee auch »Meer des Friedens«. Im Gegensatz zur Nordsee, die ein Meer des Unfriedens war, schon allein wegen des Wellengangs. Es gab zwar auch eine westdeutsche Ostsee, aber das war ein Widerspruch in sich.

Ich stellte mir die Ostsee immer ein wenig grau und unansehnlich vor, wie eine alte Folge vom »Polizeiruf 110«. Mit eigenen Augen sah ich die östliche Ostsee zum ersten Mal 1973, in Begleitung meiner Mutter und im Alter von 16 Jahren. Meine Mutter hatte beschlossen, die gerade erst bestehende Möglichkeit einer Pauschalreise nach Russland zu nutzen, und so erreichten wir, mit Neckermanns Hilfe, eine Stadt, die es heute nicht mehr gibt. Damals hieß sie Leningrad. Es war Sommer und unglaublich heiß; meine Erinnerungen sind nicht nur deshalb verschwommen. In fast jeder Straße stand ein rätselhafter Automat. Wenn man eine Kopeke einwarf, füllte sich ein

An dieser Stelle schreiben
**Antonia Baum, Kristine Bilkau,
Dennis Gastmann, Finn-Ole
Heinrich, Till Raether,
Saša Stanišić** und **Hans Zippert** in
*unregelmäßiger Folge über die Welt
und wie sie ihnen begegnet.*

Glas mit einer Flüssigkeit, die aussah, wie Ahoi-Brause mit Wasser und auch genauso schmeckte. Man leerte das Glas zügig und stellte es umgekehrt auf die Ablage im Ausgabeschacht. Der nächste Kunde drückte das Glas nach unten und löste damit einen bescheidenen Spülvorgang aus. Woher das Spülwasser stammte und wann es zum letzten Mal ausgetauscht worden war, weiß ich nicht. Meine Mutter und ich haben jedenfalls sehr viele Gläser dieses sowjetischen Limonadenersatzgetränks überlebt. Die Mägen waren in den siebziger Jahren allerdings bedeutend widerstandsfähiger als heute. Das eigentlich Wunderbare aber war die Tatsache, dass ich keinen Automaten gesehen habe, in dem das volkseigene Glas fehlte, das man hierzulande sofort entwendet hätte. Das hat mich damals sehr von der Überlegenheit des Kommunismus überzeugt.

Das kapitalistische Unternehmen Neckermann-Reisen hatte dafür gesorgt, dass wir die Abende in einem charmant heruntergekommenen Grandhotel mit Plüsch und Kristalllüstern verbringen konnten, wo Tonnen von Piroggen und kiloweise Kaviar auf Silbertabletts serviert und einem Sechzehnjährigen Wodka und Krimsekt in unbegrenzter Menge verabreicht, ja,

eigentlich aufgezwungen wurden. Das machte mich nicht gerade zu einem Kritiker des Sowjetregimes, das ja außerdem dafür gesorgt hatte, dass es nachts praktisch nicht mehr dunkel wurde.

Dieses Phänomen nannte man die Weißen Nächte, und sie verwandelten Leningrad in eine Stadt, die niemals schläft und in der der Alkoholpegel niemals sinkt. An den Ufern der Newa lagerten Hunderte operettenhaft kostümierter Matrosen der ruhmreichen Baltischen Flotte und sangen lautstark mir unbekannte melancholische Lieder. Die Atmosphäre habe ich als ausgesprochen friedlich, entspannt und heiter in Erinnerung, aber ich war ja anscheinend auch nie ganz nüchtern.

Dass Leningrad an derselben Ostsee wie Travemünde oder Zingst lag, war mir damals nicht bewusst. Und ich konnte auch nicht ahnen, dass es Helmut Kohl 1990 gelingen würde, sich den Zugang zur östlichen Ostsee zu erkaufen. Dank seiner Wiedervereinigung lernte ich ganz erstaunliche Gebilde wie Usedom oder Rügen kennen. Rügen ist so unbeschreiblich schön, dass man es 1933 sicherheitshalber mit einem Damm am Festland festgeschweißt hat. Eine Vorsichtsmaßnahme, über die man zu DDR-Zeiten sicher sehr froh war, denn durch den Damm verhinderte man, dass die größte deutsche Insel einfach Richtung Dänemark abdriftete. Selbst eine anerkannte Sehenswürdigkeit wie Rügen besteht übrigens zu einem großen Prozentsatz aus vollkommen unansehnlichen Stellen wie etwa Gewerbe-

gebieten, Einkaufszonen und Tankstellen, die wie Landeplätze für Außerirdische aussehen.

Dem Reiseführer entnahm ich, dass es sich bei Putbus um die »letzte komplett geplante Residenzstadt Nordeuropas« handelt. Leider konnte ich nicht in Erfahrung bringen, welches die vorletzte komplett geplante Residenzstadt war und warum man nach Putbus mit dem kompletten Planen von Residenzstädten in Nordeuropa aufgehört hat. An den legendären Kreidefelsen gibt es jedoch nichts auszusetzen, ihr Anblick ist schier überwältigend, es gibt keinen auch nur annähernd vergleichbaren Ort in Deutschland. Karl Friedrich Schinkel hat sie nach Entwürfen von Caspar David Friedrich erbauen lassen. Das stimmt zwar nicht so ganz, aber es könnte stimmen, denn Friedrich hat die Felsen ja immerhin gemalt. Zudem klingt die Behauptung viel überzeugender als die Sache mit der komplett geplanten Residenzstadt. Daher würde ich den zuständigen Tourismusverbänden empfehlen, sie großflächig zu verbreiten.

Es scheint so, dass die Ostsee für mich untrennbar mit der Farbe Weiß verbunden ist. Von den Weißen Nächten Leningrads über die Kreidefelsen Rügens führte mich kürzlich eine Expedition auf den Bungsberg, die höchste Erhebung Schleswig-Holsteins. Vom 168 Meter hohen Gipfel hätte ich normalerweise freie Sicht bis zur westlichen Ostsee haben müssen, aber ein veritabler Schneesturm wusste das zu verhindern und verwandelte die Umgebung stilsicher in eine weiße Hölle.

DIE MERIAN-HIGHLIGHTS

1 Kopenhagen
Nordisch genial: Europas Stadtplaner schwärmen für Dänemarks Hauptstadt (Seite 34)

2 Stockholm
Die Schöne mit dem Schärengarten (Seite 44)

3 Helsinki
Die Lust der Finnen am guten Design (Seite 60)

4 St. Petersburg
Die Fünf-Millionen-Stadt von oben entdecken (Seite 64)

5 Tallinn
Total digital: Wie Estlands Hauptstadt die Zukunft gestaltet (Seite 78)

6 Riga
Zauber der Fassaden: Jugendstil in Lettlands Kapitale (Seite 88)

7 Klaipeda
Litauens Schmuckstück am Kurischen Haff (Seite 94)

8 Kaliningrad
Zwischen den Kulturen: der Kurs der russischen Exklave (Seite 98)

9 Danzig
Genuss-Tour durch Polens stolze Hansestadt (Seite 104)

10 Lübeck
Die Renaissance des Priwalls (Seite 120)

Autobahn
Fernverkehrsstraße
Landesgrenze
Flughäfen

N

50 km

©Mapcreator.io/©HERE

Nordatlantischer Ozean

Europäisches Nordmeer

SCHWEDEN

Steinkjer

Trondheim

Östersund

Molde

Ålesund

Härnösand

Sundsvall

NORWEGEN

Bottnische See

Hamar

Falun

Gävle

Bergen

Flughafen Bergen

Flughafen Oslo

Oslo

Uppsala

Haugesund

Västeras

Skien

Karlstad

2 Stockholm

Fredrikstad

Örebro

Nyköping

Stavanger

Vänersee

Linköping

Vättersee

Kristiansand

Skagerrak

Trollhättan

Göteborg

Jönköping

Visby

Gotland

Flughafen Göteborg

Aalborg

Halmstad

Flughafen Kalmar

Öland

Viborg

Flughafen Aarhus

Kattegat

Kalmar

Aarhus

DÄNEMARK

Kristianstad

Karlskrona

Esberg

Vejle

Kopenhagen 1

Malmö

Odense

Fünen

Seeland

Flughafen Kopenhagen

Bornholm

Nordsee

Falster

Lolland

Flensburg

Husum

Koszalin

Danzig 9

Heide

Stralsund

Rügen

Greifswald

Elblag

Cuxhaven

Flughafen Hamburg

Wismar

10

Lübeck

Güstrow

Stettin

POLEN

Hull

Aurich

Hamburg

DEUTSCHLAND

Kiel

ENGLAND

Kaltegat

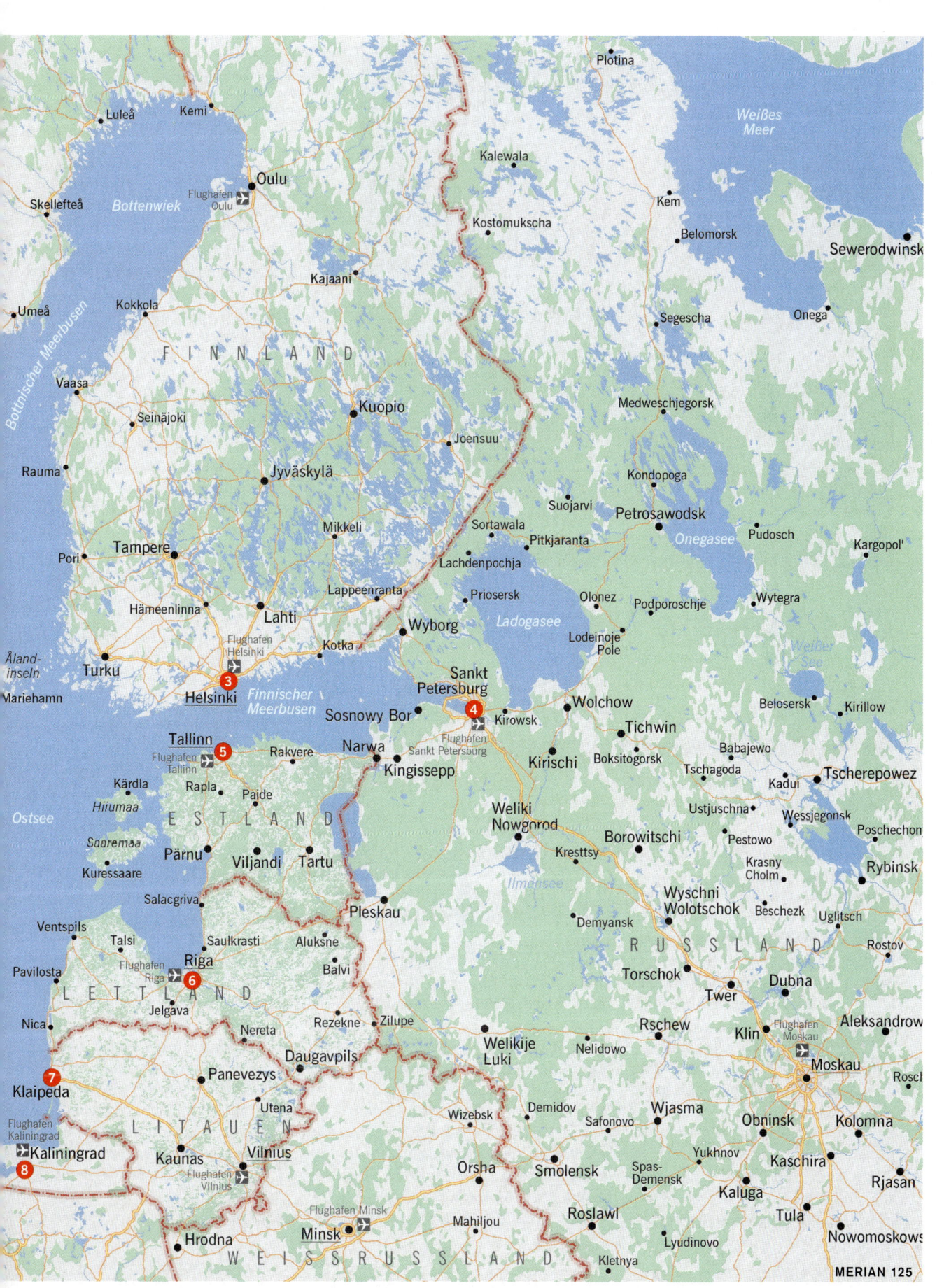

Erinnern an Caspar David Friedrichs »Kreidefelsen auf Rügen«, diese liegen aber in Dänemark, auf der Insel Møn

Das jüngste Meer der Welt

... entstand am Ende der letzten Eiszeit, als Nordeuropas Gletscher schmolzen. Heute erstreckt sich zwischen Flensburg und St. Petersburg ein fragiles Ökosystem

Geografie

Die Ostsee ist ein Binnenmeer, sie erstreckt sich über 412560 Quadratkilometer, was etwa 1,2 Mal der Fläche Deutschlands entspricht. Zwischen dem westlichsten Punkt bei Flensburg und dem östlichsten bei St. Petersburg liegen etwa 1000 Kilometer, zwischen Stettin im Süden und der schwedisch-finnischen Grenze im Norden sind es rund 1300 Kilometer. Durch den Kattegat zwischen Dänemark und Schweden ist die Ostsee mit der Nordsee verbunden und gehört zum Atlantischen Ozean. Mit einer mittleren Tiefe von 52 Metern ist sie relativ flach, ihre tiefste Stelle misst 459 Meter. Durch die Binnenlage sind Ebbe und Flut kaum wahrnehmbar.

Inseln

Die größten Ostseeinseln sind Seeland (Dänemark), Gotland (Schweden) und Fünen (Dänemark), Deutschlands größte ist Rügen. In Gebieten wie den zu Finnland gehörenden Archipelen Åland und Kvarken liegen Tausende, oft winzige Inseln, viele davon sind unbewohnt.

Anrainerstaaten

Neun Länder liegen rund um die Ostsee: Deutschland, Dänemark, Schweden, Finnland, Russland, Estland, Lettland, Litauen und Polen. Die deutsche Ostseeküste teilen sich die Bundesländer Schleswig-Holstein und Mecklenburg-Vorpommern. Die mit Abstand größte Ostsee-Stadt ist mit rund fünf Millionen Einwohnern St. Petersburg. Weitere große Städte an der Küste sind Stockholm, Kopenhagen, Helsinki, Riga, Danzig, Tallinn und Kaliningrad. In Deutschland sind es Kiel, Lübeck und Rostock.

Ökologie

Die Ostsee ist das jüngste Meer der Welt – entstanden vor rund 12000 Jahren, als am Ende der letzten Eiszeit die Gletscher schmolzen, die zuvor weite Teile Nordeuropas bedeckt hatten. Längst ist Europas Binnenmeer durch Verkehr, Industrie und Überfischung stark belastet. Durch steigende Wassertemperaturen und Überdüngung wachsen außerdem bestimmte Algenarten stark. Deren Zersetzung entzieht dem Meer viel Sauerstoff und bringt das gesamte Ökosystem aus der Balance.

Lebensraum

Die Ostsee besteht aus Brackwasser, sprich, einem Gemisch aus Süßwasser (das über rund 200 einmündende Flüsse kommt) und Salzwasser (das aus der Nordsee kommt). Der niedrige Salzwassergehalt schwankt und nimmt von West nach Ost ab. Einen Lebensraum bietet die Ostsee etwa Seehunden, Kegel- und Ringelrobben. Mit Glück bekommt man auch Schweinswale zu sehen. Bei den gut 100 Fischarten zählen u.a. Hering, Dorsch, Sprotte, Makrele und Scholle zu den bekanntesten. Viele Bestände sind gefährdet, besonders kritisch steht es um den Europäischen Aal. Einen Einblick in das Ostsee-Leben gibt der Nabu, auf dessen Website Sie virtuell abtauchen können. Außerdem lohnt ein Besuch im Stralsunder Ozeaneum, einem Naturkundemuseum mit einer Dauerausstellung zur Ostsee.

www.ostsee-life.nabu.de
www.ozeaneum.de

Die große Runde

Küste komplett: Der Fernradweg »Euro Velo 10« führt auf fast 8000 Kilometern einmal rund um die Ostsee.

www.de.eurovelo.com/ev10

Hanse

Sie war prägend für die Ausgestaltung des Ostseeraums und eine frühe Verbindung vieler bedeutender Städte dort: die Hanse, ein wirtschaftlicher Verbund von Kaufleuten, der vom 13. bis ins 17. Jahrhundert auch Politik und Kultur in den bis zu 200 Hansestädten beeinflusste. Viele davon, darunter Lübeck, Riga und Rostock, legen großen Wert auf dieses Erbe. Eine gute Ausstellung zum Thema finden Sie im Europäischen Hansemuseum in Lübeck (s. S. 10). www.hansemuseum.eu

Unterwegs

Wenn es die Maßnahmen gegen das Corona-Virus erlauben, lässt sich die Ostseeküste problemlos bereisen – per Schiff, Zug, Auto, Caravan oder Fahrrad. Acht der neun Anrainerstaaten gehören zur EU. Nur in Russland benötigen Reisende aus den meisten Ländern ein bis zu 30 Tage gültiges Touristenvisum. Für die russische Enklave Kaliningrad und für St. Petersburg sollen kostenlose, acht Tage gültige E-Visa die Einreise erleichtern. Infos: www.russische-botschaft.ru

Fähren

Helsinki, Malmo, das litauische Klaipeda, das lettische Liepaja oder die dänische Insel Bornholm: Allein die Liste der direkt von den deutschen Häfen Kiel, Rostock, Travemünde und Sassnitz (Rügen) erreichbaren Ziele ist lang. Einen Überblick über Anbieter und Strecken bietet die Website www.ostseefaehren.com

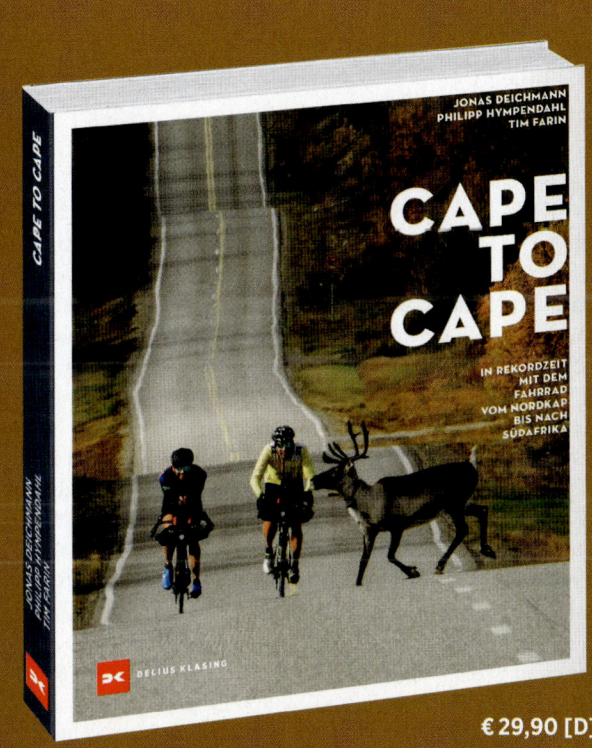

Tipps für den optimalen Schutz auf Reisen

Interview mit **Thorsten Tschirner,** Touristik-Experte unseres Partners HanseMerkur, über umsichtige Urlaubsplanung, Corona-Zusatzschutz und das richtige Verhalten im Notfall

Rund um die Ostsee, also auch im Baltikum, in Skandinavien und Polen beispielsweise, gelten diese Baderegeln:

Rot-gelbe Flagge
Schwimmen gefahrlos möglich, Rettungsschwimmer im Einsatz

Gelbe Flagge
Schwimmen auf eigene Gefahr möglich

Rote Flagge
Achtung, Lebensgefahr!

Schwarz-weiße Flagge
Wassersportbereich, Baden nicht erlaubt

MERIAN: Herr Tschirner, was fällt Ihnen spontan zum Reiseziel Ostsee ein?
THORSTEN TSCHIRNER: Weiße Strände, wohltuende Ostsee-Bäder, Küstenwälder und viele Sonnenstunden – das sind die besten Voraussetzungen für einen erholsamen Urlaub. Eine Reise im eigenen Land verspricht auf den ersten Blick mehr Sicherheit als eine Auslandsreise, aber plötzliche Ereignisse oder Krankheiten können auch in Deutschland jederzeit eintreten.
Was wird dann aus dem Urlaub? Was kann ich tun, um nicht auf hohen Reisekosten sitzen zu bleiben?
Eine frühzeitige Buchung und Absicherung sind ebenso wichtig wie im Ausland. Gerade im Sommer und Herbst sind Hotels an der Küste stark nachgefragt und kostspielig. Eine Reiserücktrittversicherung übernimmt die Stornokosten bei unerwarteter schwerer Krankheit vor Reiseantritt. Auch bei Reiseabbruch in der ersten Urlaubshälfte wird der komplette Reisepreis erstattet, wenn Sie eine Versicherung mit »Urlaubsgarantie« haben.
Kann man sich gegen einen Corona-bedingten Abbruch des Urlaubs schützen?
In Zeiten von Covid-19 ist ein »Corona-Zusatzschutz« ratsam, der u. a. auch die Mehrkosten übernimmt, wenn am Zielort eine Quarantäne oder ein Rücktransport in die Heimat nötig werden. Und noch ein Hinweis für Auslandsreisen: Informieren Sie sich über die aktuellen Reisewarnungen des Auswärtigen Amtes. Ist ihr

Urlaubsziel ein »Corona-Risikogebiet« mit erhöhter Ansteckungsgefahr? Dann gilt es, das Risiko zu meiden und vorerst zu Hause zu bleiben.
Wie verhalte ich mich am Wasser, um auf der sicheren Seite zu sein?
Die gute Nachricht ist, dass die Ostsee zu den sichersten Gewässern zählt. Es leben keine gefährlichen Tiere im Wasser, Ebbe und Flut gibt es praktisch nicht, und die flachen Ufer sind gerade für Kinder und ältere Menschen optimal. Zudem beobachten im Sommer an etlichen Badestränden Rettungsschwimmer das Geschehen. Ein guter Hinweis für Badebedingungen sind die Flaggen am Strand.
Viele wollen am Meer Wassersport treiben. Sehr in Mode ist das Kitesurfen.
Ja, gerade Kite- und Windsurfer sowie Segler und Angler genießen auf der Ostsee ein einmaliges Revier. Nicht nur in Deutschland, auch in Schweden, Dänemark und Estland gibt es viele Surf-Schulen in bester Lage. Diese Sportarten sind reizvoll, aber auch riskant durch die unterschiedlichen Strömungen und Windstärken.
Was tue ich, um Schwierigkeiten zu vermeiden?
Grundsätzlich sollte man immer vor Ausflügen die Wettervorhersage prüfen und gut sichtbare Kleidung tragen. Zur kalten Jahreszeit ist es natürlich umso wichtiger, die Temperaturen am Meer nicht zu unterschätzen und sich entsprechend wetterfest anzuziehen. Zusätzlich sollte man Freunde und

Bekannte über das Ausflugziel und die Dauer informieren, damit im Notfall schnell Hilfe gerufen werden kann.
Wenn aber doch etwas passieren sollte, wie sichere ich mich am besten ab?
Für jede Reise in die angrenzenden Länder der Ostsee gilt: Eine Auslandskrankenversicherung ist ein sinnvoller und wichtiger Schutz, da medizinische Behandlungen im Ausland meist deutlich teurer sind und die gesetzliche Krankenversicherung nur die Standardsätze zahlt. So entstehen schnell hohe Kosten, zum Beispiel nach einem Badeunfall. Eine Auslandskrankenversicherung sorgt für eine erstklassige medizinische Behandlung vor Ort, vermittelt Ärzte in der Region und zahlt, wenn sinnvoll, den Rücktransport nach Deutschland.
www.hansemerkur.de/MERIAN

MERIAN

ERSCHEINT IM

JAHRES ZEITEN VERLAG

EIN UNTERNEHMEN DER GANSKE VERLAGSGRUPPE

Chefredakteur	Hansjörg Falz
Stellvertretende Chefredakteurin	Kathrin Sander
Art Direction	Isa Johannsen
Chefin vom Dienst	Jasmin Wolf
Textchefinnen	Kathrin Sander, Tinka Dippel
Redaktion	Tinka Dippel, Kalle Harberg, Andreas Leicht, Jonas Morgenthaler, Stefanie Plarre, Inka Schmeling; Mitarbeit: Hannes Lübcke
Bildredaktion	Violetta Bismor, Tanja Foley, Katharina Oesten (Leitung)
Layout	Lena Glauche (stellv. AD), Tanja Schmidt
Redaktionsmanagement	Bodo Drazba (Ltg.)
www.merian.de	Jennifer Bielek
Assistenz der Chefredaktion	Nik Behrend, Birgit Janssen
Konzeption dieser Ausgabe	Kathrin Sander, Inka Schmeling (Text), Katharina Oesten (Bild)
Autoren	Antonia Baum, Kristine Bilkau, Dennis Gastmann, Finn-Ole Heinrich, Thomas Pletzinger, Till Raether, Saša Stanišić, Ilija Trojanow, Hans Zippert
Verantwortlich für den red. Inhalt	Hansjörg Falz
Head of Editorial Teams	Dr. Thomas Garms
Geschäftsführung	Thomas Ganske, Sebastian Ganske, Heiko Gregor (CEO), Peter Rensmann
Brand Owner/Verlagsleitung	Oliver Voß
Gesamtvertriebsleitung	Jörg-Michael Westerkamp (Zeitschriftenhandel), Thomas Voigtländer (Buchhandel)
Abovertriebsleitung	Christa Balcke
Leitung Leserreisen	Oliver Voß
Head of Sales	Helma Spieker (verantwortlich für Anzeigen), Tel. 040 2717-0
Senior Brand Manager	Henning Meyer, Tel. 040 2717-2496
Anzeigenstruktur	Corinna Plambeck-Rose, Tel. 040 2717-2237
Marketing Consultant	Alexander Grzegorzewski
Ihre Ansprechpartner vor Ort:	
Region Nord	Jörg Slama, Tel. +49 40 22859 2992, joerg.slama@jalag.de
Region West / Mitte	Michael Thiemann, Tel. +49 40 22859 2996, michael.thiemann@jalag.de
Region Südwest	Marco Janssen, Tel. +49 40 22859 2997, marco.janssen@jalag.de
Region Süd	Andrea Tappert, Tel. +49 40 22859 2998, andrea.tappert@jalag.de
Repräsentanzen Ausland:	
Belgien/Niederlande/Luxemburg	Mediawire International, Tel. +31 651 48 01 08, info@mediawire.nl
Frankreich/Monaco	Dagmar Hansen, Tel. +49 4027172030, dagmar.hansen@jalag.de
Großbritannien/Irland	Mercury Publicity Ltd., Tel. +44 7798 665 395, stefanie@mercury-publicity.com
Italien	Media & Service Inter national Srl, Tel. +39 02 48 00 61 93, info@it-mediaservice.com
Österreich	Michael Thiemann, Tel. +49 40228592996, michael.thiemann@jalag.de
Schweiz/Liechtenstein	Affinity-PrimeMEDIA Ltd., Tel. +41 21 781 08 50, info@affinity-primemedia.ch
Skandinavien	International Media Sales, Tel. +47 55 92 51 92, fgisdahl@mediasales.no
Spanien/Portugal	K. Media, Tel. +34 91 702 34 84, info@kmedianet.es

Die Premium Magazin Gruppe im Jahreszeiten Verlag
Gültige Anzeigenpreisliste: Nr. 10
Heft 01/2021 – Rund um die Ostsee. Erstverkaufstag dieser Ausgabe ist der 17.12.2020
MERIAN erscheint monatlich im Jahreszeiten Verlag GmbH, Harvestehuder Weg 42, 20149 Hamburg, Tel. 040 2717-0
Redaktion Tel. 040 2717-2600, E-Mail: redaktion@merian.de Internet www.merian.de
Abonnementvertrieb und Abonnentenbetreuung DPV Deutscher Pressevertrieb GmbH, Tel. 040 2103-1371, Fax -1372, www.dpv.de
E-Mail: leserservice-jalag@dpv.de
Vertrieb DPV Vertriebsservice GmbH, www.dpv-vertriebsservice.de
Litho K+R Medien GmbH, Darmstadt
Druck und Verarbeitung Walstead Kraków Sp. z o.o., Obrońców Modlina 11, 30-733 Krakau, Polen

Mitteleuropas größte vollständig erhaltene Burg: die Festung Hohensalzburg über der Stadt

Helles Haus: das Museum der Moderne auf dem Mönchsberg

Showtalent hinter der Theke: Mentor Mustafa in seiner »Mentor's Bar Kultur«

Ein bisschen Dolce Vita auf dem Bürgersteig – lässiger Alltag im Andräviertel

Salzburg

MOZART PRIVAT 25 Dinge über Leben, Lieben und Leiden des Genies
GROSSE OPER Im Gespräch mit den Machern der Salzburger Festspiele
CHARMANTES QUARTIER Salzburgs andere Seite – das Andräviertel
DER KUNST-SPAGAT Mit dem Direktor durchs Museum der Moderne

Zuletzt erschienen

August 2020

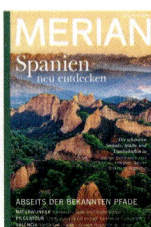

September 2020

Oktober 2020

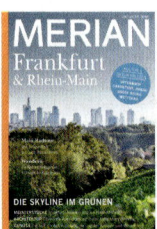

November 2020

Dezember 2020

In Vorbereitung:
Istrien
Südtirol
Eifel